Astrid Li...

Karlsson z Dachu
lata znów

Astrid Lindgren

Karlsson z Dachu lata znów

Przełożyła
Anna Węgleńska

Ilustrowała
Ilon Wikland

Nasza Księgarnia

Tytuł oryginału szwedzkiego
Karlsson på taket flyger igen
Rabén & Sjögren Bokförlag AB, Stockholm, Sweden

© Saltkråkan AB/Astrid Lindgren 1962
All foreign rights shall be handled by Saltkråkan AB,
SE-181 10 Lidingö, Sweden, e-mail: cony@saltkrakan.se
www.astridlindgren.net

Projekt okładki
Agnieszka Tokarczyk

Karlsson z Dachu lata znów

Taki duży jest ten świat i tak wiele na nim domów. Są wśród nich domy duże i są malutkie, są ładne i brzydkie, stare i nowe. I jest też mały, malutki domek Karlssona z Dachu. Zdaniem Karlssona jest to najlepszy domek na świecie, no i oczywiście tym samym odpowiedni dla najlepszego Karlssona na świecie. Braciszek uważa tak samo.

Braciszck mieszka z mamusią i tatusiem, i Bossem, i z Bettan w całkiem zwyczajnym domu przy całkiem zwyczajnej ulicy w Sztokholmie, ale właśnie na dachu tuż za kominem znajduje się malutki domek Karlssona z Dachu z przymocowaną tabliczką, na której jest napisane:

KARLSSON Z DACHU
Najlepszy Karlsson na świecie

Można sądzić, że to nieco dziwne, że ktoś mieszka na dachu, ale Braciszek mówi:

— A cóż w tym dziwnego? Ludzie mogą sobie mieszkać, gdzie im się podoba.

Mamusia i tatuś także uważają, że ludzie mogą sobie mieszkać, gdzie im się podoba. Początkowo jednak nie wierzyli w to, że Karlsson w ogóle istnieje. Także Bosse i Bettan nie chcieli uwierzyć, że na dachu mieszka mały tłuściutki człowieczek, który ma malutkie śmigło na plecach i może fruwać.

— Bujasz, Braciszku — mówili Bosse i Bettan. — Karlsson to twój wymysł.

Na wszelki wypadek Braciszek zapytał Karlssona, czy na pewno nie jest on wymysłem, a wtedy Karlsson odpowiedział:

— Wymysłem to są oni sami!

Mamusia i tatuś sądzili, że Karlsson jest wytworem wyobraźni Braciszka, co się zdarza, gdy dzieci pragną mieć towarzysza zabaw, bo czują się samotne.

— Biedny Braciszek — powiedziała mamusia. — Bosse i Bettan są o tyle starsi. On naprawdę nie ma się z kim bawić. To dlatego wymyślił Karlssona.

— Tak, musimy kupić mu psa — odpowiedział tatuś. — Marzył o nim tak długo. Przy nim zapomni o Karlssonie.

I tak Braciszek dostał Bimba. Miał więc zupełnie swojego psa. To się stało tego dnia, gdy Braciszek skończył osiem lat.

I właśnie tego dnia mamusia i tatuś, i Bosse, i Bettan wreszcie zobaczyli Karlssona. Tak, naprawdę, zobaczyli go! A było to tak.

W pokoju Braciszka odbywało się przyjęcie urodzinowe. Braciszek zaprosił na nie Kristera i Gunillę, którzy chodzili do tej samej klasy co on. I kiedy mamusia i tatuś usłyszeli dochodzące z pokoju wybuchy śmiechu i wesołe rozmowy, mamusia powiedziała:

— Chodźmy do nich! Oni są tacy kochani!

— Dobrze, idziemy — odpowiedział tatuś.

I cóż zobaczyli, mamusia, tatuś, Bosse i Bettan, kiedy zajrzeli do pokoju Braciszka?! Któż to siedział przy urodzinowym stole z twarzą całą umazaną tortem i opychał się tak, że omal nie pękł? Czyż nie był to tłuściutki mały jegomość, który wykrzyknął:

— Hejsan! Hoppsan! Nazywam się Karlsson z Dachu. Coś mi się zdaje, że nie mieliście zaszczytu spotkać mnie wcześniej.

Wtedy mamusia o mało nie zemdlała, a tatuś się zdenerwował.

— Nikomu o tym ani słowa — powiedział. — Absolutnie nikomu!

— Dlaczego? — spytał Bosse.

Wtedy tatuś wyjaśnił:

— Pomyśl, co tu się będzie działo, kiedy ludzie dowiedzą się o Karlssonie. Natychmiast znajdzie się w telewizji, to chyba rozumiecie. Będziemy potykać się o kable, kamery ustawią na schodach, a co pół godziny przybiegnie jakiś fotoreporter, żeby sfotografować Karlssona i Braciszka. Biedny Braciszek zostanie nazwany „Chłopcem, który znalazł Karlssona z Dachu"... Już nigdy w życiu nie zaznamy chwili spokoju.

Mamusia i Bosse, i Bettan bardzo dobrze rozumieli to i przyrzekli, że nigdy nikomu nie powiedzą o Karlssonie.

Akurat następnego dnia Braciszek miał pojechać do babci na wieś na całe lato. Bardzo się z tego cieszył, ale jednocześnie ogromnie niepokoił się o Karlssona. W tym czasie Karlssonowi mogły wpaść do głowy najdziwniejsze pomysły! Gdyby na przykład gdzieś zniknął!

— Kochany, drogi Karlssonie, czy na pewno, gdy wrócę od babci, będziesz nadal mieszkał na dachu? — spytał Braciszek.

— Tego nigdy nie wiadomo — odparł Karlsson. — Ja też pojadę do swojej babci. Ona jest o wiele bardziej babciowata od twojej. I uważa, że jestem najwspanialszym wnuczkiem na świecie. Tak że nigdy nie wiadomo... Byłaby chyba niespełna rozumu, gdyby pozwoliła odejechać najwspanialszemu wnuczkowi na świecie, nie sądzisz?

— Gdzie mieszka twoja babcia? — chciał wiedzieć Braciszek.

— W takim jednym domu — odparł Karlsson. — Może myślisz, że mieszka na dworze i całymi nocami tylko biega?

Niczego więcej Braciszek się nie dowiedział. A następnego dnia pojechał do babci. Bimba wziął ze sobą. Na wsi było bardzo przyjemnie. Braciszek bawił się całymi dniami i niezbyt często myślał o Karlssonie. Ale wakacje się skończyły, wrócił do domu do Sztokholmu i kiedy tylko przekroczył próg mieszkania, spytał o Karlssona.

— Mamusiu, widziałaś któregoś dnia Karlssona?

Mamusia pokręciła przecząco głową.

— Nie, ani razu. Może się wyprowadził.

— Nie mów tak — powiedział Braciszek. — Ja chcę, żeby on nadal mieszkał tu na dachu. On musi wrócić!

— Masz przecież Bimba — próbowała pocieszyć Braciszka mamusia. Jej zdaniem całkiem przyjemnie było bez Karlssona.

Braciszek pogłaskał Bimba.

— Jasne. I on jest strasznie kochany. Ale nie ma żadnego śmigła i nie potrafi fruwać. No i z Karlssonem można się lepiej bawić.

Braciszek pognał do swojego pokoju i otworzył okno.

— Karlssonie, jesteś tam na górze? — zawołał najgłośniej, jak mógł.

Nikt mu nie odpowiedział. Następnego dnia Braciszek znów poszedł do szkoły. Teraz chodził już do drugiej klasy. Każdego popołudnia siedział w swoim pokoju i odrabiał lekcje. Okno było otwarte, żeby mógł usłyszeć cichy warkot motorka Karlssona. Ale docierał do niego jedynie szum samochodów z ulicy. Niekiedy dochodził go dźwięk samolotu, który przelatywał nad dachami, nigdy jednak nie był to odgłos, jaki wydawał motorek Karlssona.

— Pewnie się przeprowadził — powiedział do siebie Braciszek. — Może już nigdy nie wróci.

Wieczorami, kiedy leżał już w łóżku, myślał o Karlssonie i czasami płakał cichutko pod kołdrą, że Karlssona nie ma. Tak mijały dni: rano szkoła, potem odrabianie lekcji.

Pewnego popołudnia Braciszek siedział w swoim pokoju i segregował znaczki. Miał już dość dużo w klaserze, ale jeszcze trochę pozostało do włożenia. Braciszek wkładał je szybko i wkrótce został mu ostatni znaczek, najpiękniejszy ze wszystkich, i dlatego zostawił go sobie na koniec. Był to niemiecki znaczek, który przedstawiał Czerwonego Kapturka i wilka.

„Och, jaki to ładny znaczek" — pomyślał Braciszek i położył go przed sobą na biurku.

W tej samej chwili za oknem rozległ się warkot motorka. Warkot, który brzmiał... jakby to leciał Karlsson! I to b y ł Karlsson! Z hałasem wpadł przez okno i krzyknął:

— Hejsan! Hoppsan! Braciszku!

— Hejsan! Hoppsan! Karlssonie! — wykrzyknął Braciszek.

Podniósł się gwałtownie i stał cały szczęśliwy, patrząc, jak Karlsson zatoczył parę kręgów wokół lampy pod sufitem, zanim z lekkim plaśnięciem wylądował tuż przed Braciszkiem.

Kiedy tylko Karlsson wyłączył motorek, przekręcając mały guziczek, który miał na brzuchu, Braciszek chciał mu się rzucić na szyję i uścisnąć go. Ale Karlsson tłustą małą ręką dał mu kuksańca i powiedział:

— Spokój, grunt to spokój! Jest coś do jedzenia? Parę klopsików albo coś innego? A może trochę tortu z bitą śmietaną?

Braciszek pokręcił przecząco głową.

— Nie ma. Mamusia nie robiła dzisiaj żadnych klopsików. A tort z bitą śmietaną jadamy tylko wtedy, gdy są urodziny.

Karlsson prychnął.

— A cóż to za dziwaczna rodzina! „Tylko wtedy, gdy są urodziny"... A jeśli przychodzi stary przyjaciel, którego nie widziało się cały miesiąc? Można by przypuszczać, że to ruszy twoją mamę.

— No tak, ale myśmy nie wiedzieli... — zaczął Braciszek.

— Nie wiedzieli! — oburzył się Karlsson. — Mogliście mieć nadzieję! Mogliście mieć nadzieję, że dziś przyjdę, i to powinno twojej mamie wystarczyć, żeby zaczęła jedną ręką formować klopsiki, a drugą ubijać śmietanę.

— Na drugie śniadanie jedliśmy mortadelę — powiedział zawstydzony Braciszek. — Może chcesz...

— Mortadelę, kiedy przychodzi drogi stary przyjaciel, którego nie widziało się cały miesiąc!

Karlsson znów prychnął.

— No tak. Kiedy się obcuje z takimi ludźmi, trzeba być na wszystko przygotowanym... Dawaj tę mortadelę!

Braciszek, najszybciej jak potrafił, pobiegł do kuchni. Mamusi nie było w domu, bo poszła do doktora, więc nie mógł jej spytać. Ale był pewien, że wolno mu poczęstować Karlssona mortadelą. Na talerzu pozostało pięć plast-

rów. Zabrał je do pokoju dla Karlssona, który rzucił się na nie niczym jastrząb. Wpychał do ust całe plastry i sprawiał wrażenie bardzo zadowolonego.

— No tak — odezwał się. — Jak na mortadelę, smakuje dość znośnie. Naturalnie nie tak jak klopsiki, ale od pewnych ludzi nie można żądać za wiele.

Braciszek zrozumiał, że to on jest „pewnymi ludźmi", dlatego też pośpiesznie zmienił temat.

— Przyjemnie ci było u babci? — spytał.

— Było mi tak przyjemnie, że to się nie da opowiedzieć — odparł Karlsson. — Dlatego wcale nie zamierzam o tym mówić — dodał i łapczywie wbił zęby w kiełbasę.

— Mnie też było przyjemnie — powiedział Braciszek. I zaczął opowiadać Karlssonowi o wszystkim, co robił u swojej babci.

13

— Moja babcia jest bardzo, bardzo dobra — mówił Braciszek. — I nie masz pojęcia, jak się cieszyła, kiedy przyjechałem. Ściskała mnie najmocniej, jak mogła.

— Dlaczego? — spytał Karlsson.

— Bo mnie lubi, chyba to rozumiesz — odparł Braciszek.

Karlsson przestał żuć.

— A ty może myślisz, że moja babcia nie lubi mnie bardziej, co? Myślisz, oczywiście, że nie objęła mnie i nie uściskała tak, że aż zsiniałem. No, może tak nie myślisz, co? Ale ci powiem, moja babcia ma małe dłonie twarde jak żelazo i gdyby lubiła mnie dziesięć deka bardziej, to nie siedziałbym tu teraz, bo już by mnie nie było.

— Ojej! — powiedział Braciszek. — To rzeczywiście babcia, która mocno ściska.

Jego babcia aż tak mocno go nie ściska, ale wystarczająco lubi Braciszka i jest zawsze wystarczająco dla niego dobra, wyjaśnił Karlssonowi.

— Chociaż potrafi być też najbardziej zrzędliwą babcią na świecie — dodał Braciszek po chwili zastanowienia. — Ciągle powtarza, że trzeba zmieniać skarpetki, że nie wolno bić się z Lassem Janssonem i tak dalej.

Karlsson odsunął od siebie pusty talerzyk.

— A ty może myślisz, że moja babcia nie jest bardziej zrzędliwa od twojej, co? Ty oczywiście myślisz, że ona nie nastawia codziennie budzika na piątą rano tylko po to, żeby zdążyć nagderać, abym zmienił skarpetki i nie bił się z Lassem Janssonem?

— Znasz Lassego Janssona? — spytał zdumiony Braciszek.

— Nie, na szczęście — odparł Karlsson.

— W takim razie dlaczego twoja babcia mówiła... — zaczął Braciszek.

— Bo jest najbardziej gderliwa na świecie — powiedział Karlsson. — Może wreszcie to zrozumiesz? Jak ty, który znasz Lassego Janssona, masz czelność twierdzić, że twoja babcia jest najbardziej gderliwa na świecie? Nie, nie ma to jak moja babcia! Może zrzędzić cały dzień, że nie wolno mi bić się z Lassem Janssonem, choć nigdy tego chłopaka nie widziałem na oczy i mam głęboką nadzieję, że nigdy nie będę do tego zmuszony.

Braciszek zamyślił się. Rzeczywiście to było trochę dziwne... Bo tak naprawdę byłby przecież niezadowolony, gdyby babcia bardzo na niego zrzędziła, ale w tym momencie ogarnęło go takie uczucie, jak gdyby musiał spróbować wygrać z Karlssonem i przedstawić babcię jako bardziej gderliwą, niż była w istocie.

— Jak tylko miałem trochę przemoczone nogi, to zaraz gderała, że muszę zmienić skarpetki — zapewniał Braciszek.

Karlsson kiwnął głową.

— A ty oczywiście myślisz, że moja babcia nie chciała, żebym zmienił skarpetki, co? Uważasz pewnie, że nie biegała po całej wsi, jak tylko byłem na dworze, i nie zrzędziła: „Zmień skarpetki, Karlssonie malutki, zmień skarpetki". Nie sądzisz tak, co?

Braciszek przez moment wiercił się na krześle.

— No, mogło tak być...

Karlsson chwycił go za ramiona i przydusił do krzesła, a potem stanął przed nim podparty pod boki.

— Nie, ty w to nie wierzysz. Ale słuchaj teraz, to ci opowiem, jak było. Raz wlazłem w kałużę... Rozumiesz?

I bawiłem się wspaniale. I właśnie wtedy nadbiegła babcia i krzyknęła tak, że rozległo się na całą wieś: „Zmień skarpetki, malutki Karlssonie, zmień skarpetki!".

– A co ty wtedy powiedziałeś? – spytał Braciszek.

– Ani myślę, odpowiedziałem, bo ja jestem najbardziej nieposłuszny na świecie – zapewnił Braciszka Karlsson.

– Dlatego uciekłem i wdrapałem się na drzewo, żeby mieć spokój.

– Twoja babcia pewnie osłupiała – odezwał się Braciszek.

– Widać, że nie znasz mojej babci – stwierdził Karlsson. – Babcia wlazła za mną.

– Na drzewo? – zdumiał się Braciszek.

Karlsson kiwnął głową.

– Ty oczywiście nie wierzysz, że moja babcia może włazić na drzewa, co? A właśnie że może. Jeśli chodzi o gderanie, to potrafi wdrapać się nie wiem jak wysoko. „Zmień skarpetki, malutki Karlssonie, zmień skarpetki" – powiedziała i wlazła na gałąź, na której siedziałem.

– A ty co wtedy zrobiłeś? – spytał Braciszek.

– No a co miałem zrobić? – odparł Karlsson. – Zmieniłem skarpetki, nie mogłem tego nie zrobić. Wysoko na drzewie, na cienkiej gałązce, z narażeniem życia siedziałem i zmieniałem skarpetki.

– Cha, cha! Wszystko teraz zełgałeś! – zawołał Braciszek. – Wysoko na drzewie nie miałeś przecież żadnych skarpetek do zmiany.

– Jesteś głupi, i to jeszcze jak – odpowiedział Karlsson. – Nie miałem żadnych skarpetek do zmiany?

Podciągnął nogawki spodni i wskazał na swoje krótkie tłuste nogi w pozwijanych skarpetkach w paski.

— A to co takiego? — spytał. — Może to nie są skarpetki?! Dwie, jeśli się nie mylę. I nie siedziałem na gałęzi i nie zmieniałem skarpetek tak, że z lewej nogi włożyłem na prawą, a z prawej na lewą? Może tak nie zrobiłem?! Tylko po to, żeby zadowolić moją starą babcię?

— No, ale od tego nie zrobiło ci się bardziej sucho w nogi — zauważył Braciszek.

— A czy ja tak twierdziłem? — spytał Karlsson. — No, powiedz, twierdziłem tak?

— Nie, ale w takim razie... — zaczął niepewnie Braciszek. — W takim razie zmieniłeś skarpetki zupełnie niepotrzebnie!

Karlsson kiwnął głową.

— Rozumiesz teraz, kto ma najbardziej gderliwą babcię na świecie? Twoja babcia gdera, bo to jest konieczne, kiedy się ma tak upartego wnuka jak ty. A moja jest najbardziej gderliwa na świecie, ponieważ gdera na mnie zupełnie niepotrzebnie. Czy może to wreszcie pojąć twoja pusta głowa?

Karlsson roześmiał się głośno i dał Braciszkowi lekkiego kuksańca.

— Hejsan, hoppsan, Braciszku! — zawołał. — Myślę, że lepiej będzie, jak damy już sobie spokój z babciami i zabawimy się w coś wesołego.

— Hejsan, hoppsan, Karlssonie! Ja też tak myślę! — wykrzyknął Braciszek.

— Masz może jakąś nową maszynę parową? — zapytał Karlsson. — Pamiętasz, jak żeśmy się ubawili, kiedy wysadziliśmy ją w powietrze. Nie dostałeś nowej, żebyśmy mogli to samo zrobić jeszcze raz?

Ale Braciszek nie dostał żadnej maszyny parowej, więc Karlsson był naprawdę niezadowolony. Na szczęście jednak spostrzegł odkurzacz, który mama zapomniała schować po sprzątnięciu pokoju Braciszka. Karlsson z cichym okrzykiem radości podbiegł i go włączył.

— Najlepszy na świecie odkurzający odkurzaczem, zgadnij, kto nim jest?

I z zapałem zaczął odkurzać ze wszystkich sił.

— Jeśli nie mogę mieć wokół siebie choć trochę ładnie, to się nie bawię — powiedział. — Trzeba wyczyścić ten brud. Jakie to szczęście, że macie najlepszego na świecie odkurzającego odkurzaczem.

Braciszek wiedział, że mama odkurzyła cały pokój bardzo dokładnie, i powiedział to Karlssonowi, ale on tylko zaśmiał się szyderczo.

— Kobiety nie umieją obchodzić się z takimi aparatami, to każdy wie. To trzeba robić tak — i Karlsson zaczął odkurzać jedną z cieniutkich białych firanek, aż z cichym sykiem została do połowy wessana przez odkurzacz.

— Nie, zostaw! — krzyknął Braciszek. — Firanki są za cienkie! Nie widzisz, że wciągnęło ją do odkurzacza... Zostaw!

Karlsson wzruszył ramionami.

— Proszę bardzo, jeśli chcesz żyć w brudzie i niechlujstwie! — powiedział.

Nie wyłączywszy odkurzacza, zaczął wyrywać z niego firankę. Ale odkurzacz nie chciał wypuścić zdobyczy.

— Nawet nie próbuj — odezwał się Karlsson do odkurzacza. — Bo masz do czynienia z Karlssonem z Dachu, najlepszym na świecie zawodnikiem w przeciąganiu liny.

Szarpnął z całej siły i wyciągnął firankę. Była prawie czarna i w dodatku trochę podarta.

— Och! Spójrz, jak wygląda firanka! — zawołał zrozpaczony Braciszek. — Patrz! Jest zupełnie czarna!

— No właśnie, i taka firanka według ciebie nie wymaga odkurzenia, ty mały brudasie! — odparł Karlsson.

Pogłaskał Braciszka po głowie.

– Ale nic się nie martw, i tak może być z ciebie porządny chłop, choć jesteś takim brudasem. Zresztą trochę cię odkurzę... Czy twoja mama też już to zrobiła?

– Nie, tego rzeczywiście nie zrobiła – odparł Braciszek.

Karlsson podszedł z włączonym odkurzaczem.

– No tak, takie są kobiety – powiedział. – Odkurzyć cały pokój, a zapomnieć o najbrudniejszej rzeczy! Chodź, zaczniemy od uszu!

Braciszek nigdy przedtem nie był odkurzany, ale teraz naprawdę był, i to tak strasznie łaskotało, że aż zanosił się śmiechem. Karlsson pracował rzetelnie. Odkurzył Braciszkowi uszy i włosy, i szyję, i pod pachami, i plecy, i brzuch, aż dojechał do stóp.

– To się właśnie nazywa jesienne czyszczenie – oznajmił Karlsson.

– Gdybyś wiedział, jak to łaskocze – powiedział Braciszek.

– Tak, właściwie powinieneś zapłacić za to ekstra – zauważył Karlsson.

Potem Braciszek chciał zrobić Karlssonowi jesienne czyszczenie.

– Teraz moja kolej. Chodź, odkurzę ci uszy!

– Nie trzeba – odparł Karlsson. – Myłem je we wrześniu zeszłego roku. Tu jest coś, co koniecznie trzeba odkurzyć.

Rozejrzał się uważnie po pokoju i spostrzegł znaczek na biurku Braciszka. I zanim Braciszek zdążył go powstrzymać, Karlsson wessał odkurzaczem Czerwonego Kapturka.

Braciszek był zrozpaczony.

– Mój znaczek! – krzyknął. – Wciągnąłeś odkurzaczem Czerwonego Kapturka. Tego ci nigdy nie wybaczę!

Karlsson wyłączył odkurzacz i stanął ze skrzyżowanymi na piersiach rękoma.

– Przepraszam – powiedział. – Przepraszam, że okazałem się uprzejmym, pomocnym i schludnym małym człowiekiem, który przez całe życie stara się najbardziej, jak potrafi, przepraszam za to.

Zabrzmiało to tak, jakby zaraz miał się rozpłakać.

– To się nic a nic nie opłaca – powiedział i głos mu zadrżał. – I tak nigdy nikt nie podziękuje... tylko człowieka besztają i besztają!

21

— Och — odezwał się Braciszek. — Och! Nie bądź smutny, ale rozumiesz, Czerwony Kapturek...

— Co to za stary czerwony kaptur, o który robisz tyle hałasu? — spytał Karlsson. Już nie płakał.

— Jest na znaczku pocztowym — odparł Braciszek. — Mój najładniejszy znaczek.

Karlsson stał w ciszy pogrążony w myślach. Nagle oczy mu rozbłysły i uśmiechnął się przebiegle.

— Najlepszy na świecie wymyślacz zabaw, zgadnij, kto to? I zgadnij, w co będziemy się bawić... W Czerwonego Kapturka i wilka! Bawimy się, że odkurzacz jest wilkiem, a ja jestem myśliwym, który przychodzi i rozcina mu brzuch! I hoj, Czerwony Kapturek jest wolny!

Rozejrzał się bystro dookoła.

— Masz gdzieś jakąś siekierę? Takie odkurzacze są twarde jak żelazo.

Braciszek nie miał żadnej siekiery i był bardzo z tego rad.

— Można przecież otworzyć odkurzacz i udawać, że się rozpruwa brzuch wilka.

— Jeśli chce się oszukiwać, to tak — odparł Karlsson. — Ja nie mam zwyczaju tego robić, kiedy rozcinam wilkowi brzuch, ale ponieważ w tym nędznym domu nie ma żadnych potrzebnych rzeczy, możemy więc trochę oszukać.

Położył się brzuchem na odkurzaczu i zajrzał w końcówkę.

— Głupi! — wykrzyknął. — Dlaczego wessałeś w siebie Czerwonego Kapturka?

Braciszek uważał, że Karlsson, który zachowuje się jak małe dziecko, jest bardzo dziecinny, ale mimo wszystko zabawnie było na niego patrzeć.

– Spokój, grunt to spokój, Czerwony Kaptureczku! – wołał Karlsson. – Nałóż czapkę i kalosze, bo zaraz będziesz wychodził!

I Karlsson otworzył odkurzacz, no i wszystko, co w nim było, wysypał na dywan. Powstała z tego duża szara kupa czegoś paskudnego.

– Oj, powinieneś wysypać to do papierowej torby – powiedział Braciszek.

– Papierowej torby... Czy tak jest w bajce, co? – spytał Karlsson. – Czy myśliwy rozcina brzuch wilka i wysypuje Czerwonego Kapturka do papierowej torby? Czy jest tak w bajce?

– Nie, nie – przyznał Braciszek. – Tego oczywiście nie ma...

– No więc zamilknij – powiedział Karlsson. – I nie próbuj wymyślać czegoś, czego nie ma w bajce, bo się nie bawię!

Potem już nic więcej nie zdążył powiedzieć, bo przez okno wpadł poryw wiatru i cała masa kurzu uniosła się prosto w nos Karlssona. Musiał więc kichnąć. I kichnął prosto w kupę kurzu. To poruszyło mały kawałeczek papieru, który pofrunął nad podłogą i opadł tuż przed Braciszkiem.

– Patrz! Czerwony Kapturek! – wykrzyknął Braciszek i pośpiesznie podniósł zakurzony znaczek.

Karlsson miał bardzo zadowoloną minę.

– Tak właśnie robię – odezwał się. – Potrafię wyciągnąć właściwą rzecz jednym kichnięciem. Możesz więc chyba przestać mazać się o Czerwonego Kapturka!

Braciszek, bardzo uradowany, wycierał znaczek z kurzu.

Wtedy Karlsson kichnął jeszcze raz i chmura kurzu uniosła się z podłogi.

— Najlepszy kichacz świata, zgadnij kto? — spytał Karlsson. — Mogę wykichać cały kurz z powrotem na swoje miejsce, zaczekaj, to zobaczysz!

Braciszek jednak nie słuchał. Teraz pragnął tylko włożyć swój znaczek do klasera.

Ale w chmurze kurzu stał Karlsson i kichał. Kichał i kichał, a kiedy wreszcie skończył, prawie cała kupa kurzu została skichana z podłogi.

— Teraz sam widzisz, że nie potrzeba było żadnej papierowej torby — odezwał się Karlsson. — I cały kurz leży tam, gdzie zwykle. Wszystko w porządku, tak właśnie lubię. Bo jeśli nie wolno mieć wokół siebie ładnie, to się nie bawię!

Ale Braciszek patrzył tylko na swój znaczek. Teraz leżał w klaserze i och, jaki był ładny!

— Trzeba odkurzyć ci jeszcze raz uszy — stwierdził Karlsson. — Nie słyszysz.

— Co powiedziałeś? — spytał Braciszek.

— Powiedziałem, że nie tylko ja będę harował i tyrał, aż dostanę pęcherzy na rękach. Tutaj sprzątałem i sprzątałem tobie, to teraz mogę chyba oczekiwać, że pójdziesz ze mną i posprzątasz u mnie.

Braciszek odsunął klaser. Pójść na dach... niczego bardziej nie pragnął! Tylko jeden jedyny raz był w malutkim domku Karlssona na dachu. Mama narobiła wtedy strasznego zamieszania i wezwała straż pożarną, żeby go zdjęto.

Braciszek namyślał się. To było tak dawno, teraz jest o wiele większym chłopcem i może włazić na każdy dach. Ale w tej chwili najbardziej chciałby wiedzieć, czy mama to zrozumie. Nie było jej w domu, więc nie mógł spytać. I może to było najlepsze.

— No, idziesz ze mną? — spytał Karlsson.

Braciszek jeszcze raz się zastanowił.

— A jeśli mnie upuścisz, kiedy będziemy lecieli? — zapytał z niepokojem.

Karlsson nie wyglądał na przestraszonego.

— No tak — powiedział. — Jest przecież tyle dzieci. Jeden mały więcej, jeden mniej to zwykła rzecz.

Braciszek rozzłościł się nie na żarty.

— Ja nie jestem zwykłą rzeczą i jeśli sturlam się w dół...

— Spokój, grunt to spokój — odparł Karlsson i pogłaskał go po głowie. — Nie sturlasz się. Będę cię trzymał równie mocno, jak babcia. Co prawda jesteś tylko małym brudnym chłopcem, ale i tak cię lubię na swój sposób. Szczególnie teraz, kiedy przeszedłeś jesienne czyszczenie, no i w ogóle.

Znów pogłaskał Braciszka.

— Tak, to dziwne, ale lubię cię mimo wszystko, takiego małego, głupiego chłopca jak ty. Zaczekaj tylko, aż znajdziemy się na dachu, to obejmę cię tak mocno, że zsiniejesz, zupełnie jakby to zrobiła babcia.

Przekręcił guzik, który miał na brzuchu, motor zaskoczył i Karlsson mocno schwycił Braciszka. Wylecieli przez okno prosto w błękit nieba. Podarta firanka poruszyła się lekko, jakby chciała powiedzieć do widzenia.

W domu u Karlssona

Malutkie domy na dachu mogą być naprawdę przytulne, szczególnie takie jak domek Karlssona. Ma on zielone okiennice i mały podest czy też ganek, który wyśmienicie nadaje się do siedzenia. Można siedzieć sobie na nim wieczorami i patrzeć na gwiazdy, a w ciągu dnia popijać sok i zajadać ciasteczka, o ile oczywiście ma się jakieś ciasteczka. Nocami można tu sypiać, jeśli wewnątrz domku jest za gorąco, a rankami można się tu budzić i patrzeć na wschodzące nad dachami od strony Östermalmu* słońce.

Jest to naprawdę przytulny domek, a w dodatku tak przemyślnie wciśnięty między komin i ścianę sąsiedniego budynku, że ledwie go widać. Jeśli oczywiście nie spaceruje się przypadkiem po dachu i nie lezie za komin. Ale to zdarza się rzadko.

— Stąd z góry wszystko jest takie inne — zauważył Braciszek, gdy Karlsson wylądował z nim na schodku swego domku.

— Tak, na szczęście — odparł Karlsson.

Braciszek rozejrzał się dookoła.

— Więcej dachów... — dodał.

— Więcej całych kilometrów dachów — powiedział Karlsson — po których można sobie spacerować i figielkować, ile tylko się chce.

* Östermalm — dzielnica Sztokholmu.

— Chcesz, żebyśmy trochę pofigielkowali? — spytał podniecony Braciszek. Pamiętał, jakie to było wspaniałe przeżycie, kiedy poprzednim razem figielkowali po dachu. Ale Karlsson patrzył na niego surowo.

— Bo chcesz uniknąć sprzątania, co? Najpierw ja prawie na śmierć się zaharowuję, aby zrobić trochę przyjemniej u ciebie, a potem ty chciałbyś spacerować sobie i figielkować przez resztę dnia. Tak to sobie wyliczyłeś?

Braciszek jednak zupełnie niczego nie wyliczał.

— Chętnie pomogę ci sprzątać, jeśli trzeba — powiedział.

— No wreszcie — mruknął Karlsson.

— Proszę bardzo — dodał Braciszek. — Jeśli trzeba, to...

Potem długą chwilę stał w milczeniu i spoglądał wielkimi oczami.

— Trzeba — powiedział w końcu.

W domku Karlssona był tylko jeden pokój. I w tym pokoju Karlsson miał stół stolarski do heblowania i do jedzenia, i do stawiania na nim rzeczy. I była sofa do spania i do skakania po niej, i trzymania w niej innych rzeczy. I dwa krzesła do siedzenia i stawiania na nich rzeczy, i włażenia na nie, jeśli chciał wepchnąć jakieś rzeczy do szafy. Ale to było niemożliwe, ponieważ szafa była już pełna innych rzeczy, takich, które nie mogły stać na podłodze ani wisieć na gwoździach na ścianie, bo były tam już inne rzeczy... całkiem dużo. Karlsson miał też kominek pełen różnych rzeczy, a także ruszt, na którym mógł sobie piec. Na gzymsie nad kominkiem stało mnóstwo rzeczy. Ale z sufitu nie zwisało już prawie nic. Tylko świder i torba orzechów, i pistolet na kapiszony, i obcęgi, i para pantofli, i hebel, i koszula nocna Karlssona, i ścierka do naczyń, i pogrzebacz, i mała walizka, i torebka suszonych wiśni, i już nic więcej.

Braciszek długo stał w milczeniu i rozglądał się.

– No co? Zatkało cię? – spytał Karlsson. – Tutaj to jest mnóstwo rzeczy, nie to, co u ciebie, parę rzeczy na krzyż.

– Tak, tutaj naprawdę jest dużo rzeczy – przytaknął Braciszek. – Ale rozumiem, że chcesz posprzątać.

Karlsson rzucił się na sofę i ułożył się na niej wygodnie.

– Nic nie zrozumiałeś – powiedział. – Ja nie chcę sprzątać. To ty chcesz sprzątać... po tym, jak się naharowałem u ciebie, czy też nie?

– A ty mi w ogóle nie będziesz pomagał? – spytał Braciszek z niepokojem.

Karlsson, leżąc na kołdrze, zwinął się w kłębek i zaczął pomrukiwać tak, jak pomrukuje ktoś, kto leży naprawdę wygodnie i jest mu dobrze.

– No, jasne, że pomogę – odezwał się, kiedy skończył już pomrukiwać.

– To dobrze – powiedział Braciszek. – Bo już się przestraszyłem, że myślałeś...

– No jasne, że pomogę – rzekł Karlsson. – Przez cały czas będę ci śpiewał, żeby cię rozruszać. Ho, hoj, to będzie zupełnie jak taniec.

Braciszek nie był tego taki pewny. W całym swoim życiu niezbyt wiele się nasprzątał. Oczywiście, zbierał zazwyczaj swoje zabawki. Tylko mamusia musiała przypomnieć mu o tym ze trzy, cztery, pięć razy, a zaraz je pozbierał, nawet jeśli uważał, że to męczące i całkowicie zbyteczne. Ale sprzątanie u Karlssona było czymś zupełnie innym.

– Od czego mam zacząć? – zapytał Braciszek.

– Od łupin po orzechach, oczywiście, ty głuptasie! – zaproponował Karlsson. – Jakiegoś szczególnego sprzątania przecież tu nie trzeba, bo cały czas utrzymuję swego rodzaju ład i stale o niego dbam. Ty możesz troszkę po wierzchu dopucować.

Łupiny od orzechów leżały na podłodze wśród masy skórek od pomarańczy i pestek od wiśni, i skórek od kiełbasy, i zwitków papieru, i wypalonych zapałek i wielu innych rzeczy. Nie było widać ani kawałeczka podłogi.

– Masz jakiś odkurzacz? – spytał Braciszek po chwili zastanowienia.

Pytanie to nie spodobało się Karlssonowi. Spojrzał na Braciszka niezadowolony.

– Powiedziałbym, że niektórzy to są leniwi! Mam najlepszą na świecie szczotkę do zamiatania i najlepszą na świecie szufelkę do śmieci, ale to jest za mało dla pewnych leniwych wołów. Nieee, ma być odkurzacz, żeby sami mogli nic nie robić!

Karlsson prychnął.

– Gdybym chciał, mógłbym mieć tysiąc odkurzaczy. Ale ja nie jestem tak wygodny jak niektórzy. Ja lubię ruch.

– Ja też – usprawiedliwiał się Braciszek – ale... A zresztą ty przecież nie masz elektryczności, więc i tak nie można włączyć żadnego odkurzacza.

Przypomniał sobie, że domek Karlssona był zupełnie nienowoczesny. Nie było w nim elektryczności i wodociągu. Wieczorami Karlsson zapalał lampę naftową, a wodę brał z beczki na deszczówkę, która stała przy rogu domku.

— Zsypu na śmieci też nie masz — dodał Braciszek. — Chociaż on jest ci naprawdę potrzebny.

— Nie mam zsypu na śmieci? — spytał Karlsson. — Co ty o tym możesz wiedzieć? Zamieć tylko, a pokażę ci najlepszy na świecie zsyp.

Braciszek westchnął. Potem wziął szczotkę i zabrał się do pracy. Karlsson leżał z rękami pod głową i przyglądał się. I śpiewał Braciszkowi, tak jak przyrzekł:

Zaraz chwila dnia przeminie
I ten, kto pracował żmudnie,
Po skończonym znojnym trudzie
Odpoczywać będzie cudnie.

— Właśnie tak to jest — powiedział Karlsson i wtulił się w kołdrę, żeby leżeć jeszcze wygodniej.

Potem zaśpiewał powtórnie, a Braciszek zamiatał i zamiatał. Nagle Karlsson odezwał się:

— Kiedy już i tak się krzątasz, możesz zrobić mi trochę kawy.

— Ja mam to zrobić? — spytał Braciszek.

— Gdybyś był tak miły — odparł Karlsson. — Nie chcę ci jednak sprawiać jakiegoś specjalnego kłopotu. Musisz tylko rozpalić w piecu, przynieść trochę wody i zagotować fusy. Kawę wypiję już sam.

Braciszek niechętnie popatrzył na podłogę, która nie była ani odrobinkę dopucowana.

— Nie mógłbyś sam zrobić kawy, kiedy ja zamiatam? — zaproponował.

Karlsson westchnął ciężko.

— Jakże można, u licha, być tak leniwym jak ty? — spytał. — Kiedy już i tak się krzątasz... czy to takie trudne naparzyć trochę kawy?

— Nie, oczywiście — odparł Braciszek. — Chociaż, jeśli mogę powiedzieć, co myślę...

— Ale nie możesz — przerwał mu Karlsson. — I nie wysilaj się! Spróbuj lepiej pomóc choć trochę temu, kto harował dla ciebie, odkurzył ci uszy i sam już nie wiem co jeszcze.

Braciszek odstawił szczotkę. Wziął wiadro i pobiegł po wodę. Wyjął drewno ze schowka, napchał nim piec i zrobił wszystko, żeby rozpalić ogień, ale bez skutku.

— Nie jestem przyzwyczajony — usprawiedliwiał się. — Czy nie mógłbyś... tylko zapalić?

— Nic z tego — odrzekł Karlsson. — Gdybym był na no-
gach, to co innego. Wtedy mógłbym ci pokazać, jak to się
robi, ale teraz akurat leżę, więc nie możesz wymagać, żebym cię obsługiwał.

To Braciszek rozumiał. Spróbował więc jeszcze raz,
a wtedy nagle w piecu zaczęło trzaskać i huczeć.

— Udało się! — zawołał radośnie.

— Widzisz! Nie trzeba niczego więcej poza odrobiną
energii — stwierdził Karlsson. — Teraz tylko nastaw kawę
i nakryj małą ładną tackę, i wyjmij kilka bułeczek, a kiedy będzie się gotowało, skończysz zamiatać.

— A kawę... jesteś pewny, że wypijesz sam? — spytał
Braciszek. Czasami naprawdę był troszkę złośliwy.

— Jasne, kawę wypiję sam — odpowiedział Karlsson. — Ale ty też możesz trochę dostać, bo ja jestem tak gościnny, że nie da się opisać.

Gdy więc Braciszek zamiótł i zebrał na szufelkę wszystkie skorupki od orzechów i pestki od wiśni, i zwitki papieru i wrzucił je do dużego wiadra na śmieci, usiadł na brzegu łóżka Karlssona i obaj pili kawę. Jedli też bułeczki. I Braciszek uświadomił sobie, jak dobrze się czuje u Karlssona, nawet jeśli ciut meczące było dopucowanie jego domu.

— No i gdzie masz ten zsyp na śmieci? — spytał Braciszek, kiedy przełknął ostatni kęs bułeczki.

— Zaraz ci pokażę — odparł Karlsson. — Weź wiadro ze śmieciami i chodź!

Wyprzedził Braciszka i wyszedł na ganek.

— Tam — powiedział Karlsson i wskazał w dół w kierunku rynny.

— Jak to...? Co chcesz przez to powiedzieć? — zdziwił się Braciszek.

— Zejdź tam — odrzekł Karlsson. — Tam jest najlepszy zsyp na świecie.

— Mam wyrzucić śmieci na u l i c ę? — spytał Braciszek. — Przecież tego nie wolno robić.

Karlsson chwycił wiadro.

— Zaraz zobaczysz. Chodź!

Z uniesionym wiadrem pognał w dół po dachu. Braciszek przestraszył się. A jeśli Karlsson nie będzie się mógł zatrzymać, kiedy znajdzie się przy rynnie?!

— Hamuj! — krzyknął Braciszek. — Hamuj!

I Karlsson zahamował. Ale nie wcześniej, nim znalazł się na samej krawędzi dachu.

— Na co czekasz? — zawołał Karlsson. — Chodź tutaj!

Braciszek usiadł i ostrożnie zsunął się aż do rynny.

— Najlepszy zsyp na świecie... wysokość spadku dwadzieścia metrów — powiedział Karlsson i szybko wywrócił wiadro ze śmieciami.

Najlepszym zsypem na świecie poleciał na ulicę strumień pestek od wiśni, skorupek od orzechów, skrawków papieru i spadł prosto na głowę jakiegoś eleganckiego pana, który szedł trotuarem, paląc cygaro.

— Oj! — jęknął Braciszek. — Oj, oj, oj, patrz, to spadło na niego!

Karlsson wzruszył ramionami.

— Kto go prosił, żeby chodził właśnie pod moim zsypem, kiedy trwa jesienne czyszczenie?

Braciszek miał zmartwioną minę.

— No, ale skorupki od orzechów wpadły mu za koszulę, a pestki od wiśni prosto na głowę. To niezbyt przyjemne.

— To zwykła rzecz — orzekł Karlsson. — Jeśli nie ma się na tym świecie większych zmartwień, jak tylko parę skorupek od orzechów za koszulą, to powinno się być zadowolonym.

Ale nie wyglądało na to, żeby pan z cygarem był szczególnie zadowolony. Można było zauważyć, jak się otrząsał, a potem usłyszeli, że woła policję.

— Jak to niektórzy ludzie potrafią awanturować się o byle co — stwierdził Karlsson. — Powinien być wdzięczny. Bo jeśli pestki od wiśni zapuszczą na jego głowie korzenie, to być może wyrośnie z nich piękna wiśnia. A wtedy będzie mógł chodzić sobie dookoła, zrywać wiśnie i pluć pestkami przez całe dnie.

Na ulicy nie pojawił się jednak żaden policjant. Pan z cygarem musiał iść do domu ze skorupkami od orzechów i pestkami od wiśni.

Karlsson z Braciszkiem znów poleźli w górę dachu do domku Karlssona.

— Zresztą ja też chcę pluć pestkami od wiśni — powiedział Karlsson. — Kiedy i tak już się krzątasz, możesz przynieść torebkę wiśni, która wisi na suficie.

— Myślisz, że dosięgnę? — spytał Braciszek.

— Wejdź na stół stolarski — poradził mu Karlsson.

I Braciszek tak zrobił. A potem Karlsson i Braciszek siedzieli na ganku, zajadali suszone wiśnie i na wszystkie strony pluli pestkami, które staczały się z dachu z cichym grzechotem. Był to zabawny dźwięk.

Zaczynało się zmierzchać. Miękki, ciepły jesienny zmrok kładł się na dachy wszystkich domów. Braciszek przysunął się bliżej Karlssona. Przyjemnie było tak siedzieć na ganku i pluć pestkami od wiśni, podczas gdy wszystko wokół ciemniało. Nagle domy zaczęły wyglądać inaczej, stały się ciemne i tajemnicze, a w końcu zupełnie czarne. Miało się wrażenie, jakby ktoś nożyczkami wyciął je z czarnego papieru, a tu i ówdzie nakleił kwadraciki ze złotego papieru jako okna. Kwadracików na tej czerni przybywało i przybywało, bo ludzie zaczęli w swych domach zapalać światła. Braciszek próbował je liczyć, najpierw było trzy, potem dziesięć, a potem coraz więcej i więcej. W środku można było zobaczyć ludzi, którzy czymś się zajmowali, i można było się zastanawiać, co robili i jacy byli, i dlaczego mieszkali właśnie tam, a nie gdzie indziej.

To znaczy Braciszek się zastanawiał. Karlsson nie zastanawiał się wcale.

— Muszą przecież gdzieś mieszkać, biedni ludzie — stwierdził Karlsson. — Nie wszyscy mogą mieć domki na dachu. Nie wszyscy mogą być najlepszym na świecie Karlssonem.

Karlsson tirrytuje bułeczkami

Podczas gdy Braciszek bawił u Karlssona, mamusia była u doktora. Zajęło jej to więcej czasu, niż się spodziewała, a kiedy wróciła do domu, Braciszek siedział już spokojnie w swoim pokoju i oglądał znaczki.

— Hej, Braciszku! Siedzisz tu sobie jak zwykle i oglądasz znaczki? — zapytała mamusia.

— Tak — odparł Braciszek, i była to prawda. Ale o tym, że dopiero co wrócił z dachu, nie powiedział. Mamusia była mądra i oczywiście rozumiała prawie wszystko, ale nie było tak absolutnie pewne, że zrozumie łażenie po dachu. Braciszek postanowił na razie nie mówić o Karlssonie. Nie teraz. To będzie wspaniała niespodzianka, z którą wystąpi przy obiedzie. Zresztą mamusia nie wyglądała na zadowoloną. Między brwiami miała zmarszczkę, której zazwyczaj tam nie było. Braciszek chciał wiedzieć, z jakiego powodu.

Potem przyszła reszta rodziny i wszyscy razem zasiedli przy stole. Na obiad były gołąbki i Braciszek jak zwykle rozgrzebywał kapustę. Nie lubił kapusty. Lubił tylko to, co było w środku. Ale przy jego stopach leżał Bimbo, a on zjadał wszystko. Braciszek zwinął kapustę w mały, lepki zwitek i wsadził w pysk Bimba.

— Mamo, powiedz mu, żeby tego nie robił — odezwała się Bettan. — Bimbo stanie się nieznośny... zupełnie jak Braciszek.

— Tak, tak — przytaknęła mamusia. — Tak, tak.
Ale miało się wrażenie, że nie słucha.

— Ja w każdym razie, kiedy byłam mała, musiałam wszystko porządnie zjadać — stwierdziła Bettan.

Braciszek pokazał jej język.

— Coś takiego! Ty tak twierdzisz, ale nie można powiedzieć, żeby dało to wielkie rezultaty.

Wtedy nagle w oczach mamusi ukazały się łzy.

— Bądźcie tak mili i nie kłóćcie się — poprosiła. — Nie mam siły tego słuchać.

A potem wyjaśniło się, dlaczego jest tak zmartwiona.

— Doktor powiedział, że mam anemię. Kompletne wyczerpanie. Muszę wyjechać i odpocząć... Ale jak to zrobić?

Przy stole zapanowała cisza. Przez dłuższą chwilę nikt nie odezwał się słowem. Jaka smutna wiadomość! Mamusia jest chora, to naprawdę smutne, wszyscy myśleli tak samo. A na dodatek musi wyjechać, co zdaniem Braciszka było jeszcze gorsze.

— Ja chcę, żebyś każdego dnia, gdy wracam ze szkoły, stała przy kuchni, miała na sobie fartuch i piekła bułeczki.

— Ty myślisz tylko o sobie — powiedział ostro Bosse.

Braciszek przytulił się do mamusi.

— Tak, bo inaczej nie będzie żadnych bułeczek — odpowiedział.

Ale mamusia wcale ich nie słuchała. Rozmawiała z tatusiem.

— Musimy spróbować znaleźć pomoc domową.

Zarówno tatuś, jak i mamusia mieli smutne miny. Wcale nie był to miły obiad jak zwykle. Braciszek pomyślał, że trzeba coś zrobić, żeby było choć trochę przyjemniej, a któż to potrafił lepiej od niego.

— Zgadnijcie, co się stało miłego, mimo wszystko — odezwał się. — Zgadnijcie, kto powrócił?

— Kto?... Och, chyba nie Karlsson! — powiedziała mamusia. — Nie mów mi teraz, że będziemy mieli jeszcze i ten kłopot.

Braciszek spojrzał na nią z wyrzutem.

— Karlsson to przyjemność, a nie żaden kłopot.

Wtedy Bosse roześmiał się.

— No, ale tu się będzie działo! Bez mamy, za to Karlsson i pomoc domowa, którzy będą rozrabiać, ile się da.

— Nie przerażaj mnie — powiedziała mamusia. — Pomyśl, co będzie, jeśli pomoc domowa zobaczy Karlssona?

Tatuś popatrzył surowo na Braciszka.

— Nic nie będzie. Pomoc domowa nie może ani zobaczyć Karlssona, ani o nim usłyszeć. Przyrzeknij, Braciszku!

— Karlsson lata, gdzie chce — odparł Braciszek. — Ale przyrzekam, że nie będę o nim mówił.

— Nikomu! Żadnemu człowiekowi — powiedział tatuś.

— Nie zapomnij o naszej umowie.

— Nie, żadnemu człowiekowi — zgodził się Braciszek.

— Tylko pani w szkole.

— Absolutnie nie! Wykluczone!

— Sss... — syknął Braciszek. — W takim razie o pomocy domowej też nie będę mówił. Bo to jeszcze gorsze niż o Karlssonie.

Mamusia westchnęła.

— Jeszcze nie wiemy, czy nam się uda znaleźć jakąś pomoc domową — powiedziała.

Zaraz następnego dnia dała ogłoszenie do gazety. Odpowiedziała na nie jedna jedyna osoba. Nazywała się panna Cap. A kilka godzin później przyszła obejrzeć miejsce. Braciszka właśnie rozbolało ucho i chciał być tak blisko mamusi, jak tylko się da. Najchętniej usiadłby jej na kolanach, chociaż właściwie był na to o wiele za duży.

— Ale kiedy boli ucho, to trzeba — stwierdził i wlazł mamie na kolana.

Wtedy rozległ się dzwonek u drzwi. To przyszła panna Cap. Przez cały czas obecności panny Cap Braciszek stał, wisząc niemal na oparciu krzesła mamusi. Bolące ucho przytulił do jej ramienia, a od czasu do czasu, kiedy go rwało, pojękiwał cicho.

Braciszek miał nadzieję, że panna Cap będzie młoda, ładna i miła, mniej więcej taka, jak pani w szkole. Ale okazało się, że jest wprost przeciwnie. Była to starsza dama sprawiająca wrażenie bardzo zdecydowanej. Duża, krzepka, miała wiele podbródków i „złe oczy", których Braciszek się lękał. Natychmiast poczuł, że jej nie lubi. Widocznie Bimbo poczuł to samo, bo szczekał ze wszystkich sił.

— Aha, jest tu pies — stwierdziła panna Cap.

Mamusia zaniepokoiła się.

— Nie lubi pani psów? — spytała.

— Lubię, ale tylko, jeśli są dobrze wychowane — odparła panna Cap.

— Nie jestem pewna, czy Bimbo jest naprawdę dobrze wychowany — powiedziała zakłopotana mamusia.

Panna Cap energicznie kiwnęła głową.

— Ale będzie, jeśli zdecyduję się wziąć to miejsce. Przedtem opiekowałam się psami.

41

Braciszek miał cichą nadzieję, że panna Cap się nie zdecyduje. Właśnie w tym samym momencie zabolało go silniej ucho i nie mógł powstrzymać cichego jęku.

— No, no, psy, co szczekają, i dzieci, co marudzą — odezwała się panna Cap i rozciągnęła usta w lekkim uśmiechu. Prawdopodobnie chciała zażartować, ale zdaniem Braciszka nie było to zabawne, więc powiedział cicho, jakby do siebie:

— I mam też skrzypiące buty.

Mamusia usłyszała to, zaczerwieniła się i zapytała pośpiesznie:

— Mam nadzieję, że lubi pani dzieci, panno Cap?

— Lubię, jeśli są dobrze wychowane — odparła panna Cap i wpiła oczy w Braciszka.

Mamusia znów wyglądała na zakłopotaną.

— Nie jestem pewna, czy Braciszek jest naprawdę dobrze wychowany — wymamrotała.

— Ale będzie — powiedziała panna Cap. — Proszę tylko poczekać, przedtem opiekowałam się dziećmi.

Braciszek przestraszył się. Zrobiło mu się żal tych dzieci, którymi przedtem opiekowała się panna Cap. Teraz sam będzie takim dzieckiem.

Mamusia sprawiała wrażenie zamyślonej. Pogładziła Braciszka po głowie i powiedziała:

— Jeśli chodzi o niego, to najskuteczniejsza jest łagodność.

— Ale to nie zawsze jest dobre, jak zauważyłam — odparła panna Cap. — Dzieci potrzebują też twardej ręki.

Potem panna Cap powiedziała, jaką chce pensję, i zażądała, żeby nazywać ją „gospodynią domową", a nie „pomocą domową", i tak sprawa została załatwiona.

Właśnie wtedy tatuś wrócił z biura i mamusia dokonała prezentacji:

— Nasza gospodyni domowa, panna Cap!

— Nasz Cap Domowy — powiedział Braciszek. Potem rzucił się do drzwi i wybiegł najszybciej, jak mógł. Za nim z dzikim ujadaniem wyskoczył Bimbo.

Nazajutrz mamusia wyjeżdżała do babci. Wszyscy płakali, najbardziej Braciszek.

— Ale ja nie chcę zostać sam z Capem Domowym — szlochał.

Bo wiedział, że tak będzie. Bosse i Bettan wracali przecież ze szkoły późnym popołudniem, a tatuś przychodził z biura do domu nie wcześniej niż o piątej. Wiele godzin każdego dnia Braciszek będzie zmagał się sam na sam z Capem Domowym. Dlatego płakał.

Mamusia go ucałowała.

— Postaraj się być dzielny... Zrób to dla mnie. I w żadnym razie nie nazywaj jej Capem Domowym!

Kłopoty zaczęły się już następnego dnia, kiedy Braciszek wrócił ze szkoły. W kuchni nie było mamy ubranej w fartuch i czekającej na niego z czekoladą i bułeczkami, tylko panna Cap, która wcale nie wyglądała na zadowoloną, że widzi Braciszka.

— Przekąski między posiłkami zabijają apetyt — orzekła. — Żadnych bułeczek nie będzie.

Ale mimo to upiekła bułeczki. Leżały właśnie na blasze w oknie i stygły.

– Tak, ale... – zaczął Braciszek.

– Żadnego ale – przerwała panna Cap. – Zresztą nie chcę widzieć dzieci w kuchni. Idź do swego pokoju i zajmij się lekcjami! Przedtem powieś kurtkę i umyj ręce, no już, marsz!

Braciszek ruszył do pokoju zły i głodny. Bimbo leżał w swoim koszu i spał, ale kiedy Braciszek wszedł, rzucił się ku niemu jak rakieta. Przynajmniej ktoś ucieszył się na jego widok. Braciszek objął Bimba ramionami.

– W stosunku do ciebie też tak głupio się zachowała? Och, nie cierpię jej! „Powieś kurtkę i umyj ręce"... A nie powinienem przypadkiem przewietrzyć garderoby i umyć nóg, co? Przeważnie wieszam kurtkę i nikt nie potrzebuje mi o tym mówić, tak to już jest!

Rzucił kurtkę do kosza Bimba, a Bimbo natychmiast położył się na niej i zaczął pogryzać jeden rękaw.

Braciszek podszedł do okna, żeby powyglądać. Stał i czuł, jak wzbiera w nim smutek i tęsknota za mamusią. Nagle zobaczył coś, co go ożywiło. Nad dachem, po drugiej stronie ulicy, Karlsson wykonywał ćwiczenia lotnicze. Tam i z powrotem krążył między kominami, a od czasu do czasu robił beczkę. Braciszek pomachał mu szybko i Karlsson z szumem nadleciał takim pędem, że Braciszek musiał odskoczyć, żeby nie zderzyć się z nim głową, gdy z hukiem wpadł przez okno.

– Hejsan, hoppsan, Braciszku! – zawołał Karlsson. – Coś ci zrobiłem, że masz taką skwaszoną minę? Źle się czujesz?

– Bynajmniej – odparł Braciszek. I opowiedział Karlssonowi o swoich zmartwieniach. Że mamusia wyjechała, a oni mają Capa Domowego, który gdera, jest niemiły i skąpy, tak że nie można dostać nawet jednej bułeczki, kiedy wraca się ze szkoły do domu, chociaż cała blacha świeżo upieczonych leży w oknie.

Oczy Karlssona rozbłysły.

– Ty to masz szczęście – powiedział radośnie. – Najlepszy na świecie poskramiacz capów domowych, zgadnij, kto nim jest?

Braciszek zrozumiał, że to musi być po prostu Karlsson. Ale jak Karlsson mógł sobie poradzić z panną Cap, tego nie mógł wymyślić.

– Zacznę ją tirrytować – wyjaśnił Karlsson.

– Masz na myśli „irytować"? – poprawił go Braciszek.

Takich głupich uwag Karlsson nie lubił.

– Gdybym miał na myśli „irytować", tobym tak powiedział. „Tirrytować" to mniej więcej to samo, tylko bardziej diabolicznie, słyszysz to w samym słowie.

Braciszek poczuł, że musi przyznać Karlssonowi rację. „Tirrytować" brzmiało bardziej diabolicznie.

– Sądzę, że zacznę od tirrytowania bułeczkami – powiedział Karlsson. – A ty mi pomożesz.

– W jaki sposób? – spytał Braciszek.

– Idź do kuchni i porozmawiaj z Capem Domowym.

– No, ale... – zaczął Braciszek.

– Żadnego ale – odparł Karlsson. – Porozmawiaj z nią, żeby na chwilę odwróciła oczy od blachy z bułeczkami.

Karlsson zarechotał. Potem nacisnął starter i motorek zaczął szumieć. Śmiejąc się, Karlsson wyleciał przez okno.

Braciszek zuchwale ruszył do kuchni. Teraz, gdy miał do pomocy najlepszego na świecie poskramiacza capów domowych, już się nie bał.

Na jego widok panna Cap zrobiła się jeszcze bardziej niezadowolona. Właśnie parzyła sobie kawę i Braciszek

47

zrozumiał, że zamierzała spędzić przyjemną chwilę przy kawie i świeżych bułeczkach. Najwyraźniej tylko dla dzieci nie były wskazane przekąski między posiłkami. Rzuciła gniewne spojrzenie na Braciszka.

– Czego chcesz? – spytała, a jej głos był równie kwaśny jak mina.

Braciszek zastanawiał się. Trzeba było jakoś zacząć. Ale co u licha miał powiedzieć?

– Proszę zgadnąć, co zrobię, jak będę taki duży jak pani? – odezwał się w końcu.

W tej samej chwili usłyszał szum za oknem i był to szum, który znał. Ale Karlssona nie zobaczył. Ujrzał jedynie małą pulchną rękę, która wsunęła się przez okno i chwyciła z tacy bułeczkę. Braciszek zachichotał. Panna Cap niczego nie zauważyła.

– Co takiego zrobisz, jak będziesz duży? – spytała niecierpliwie. Nie dlatego, żeby naprawdę chciała to wiedzieć. Pragnęła tylko jak najszybciej pozbyć się Braciszka.

– No, proszę zgadnąć – powtórzył Braciszek.

Znów zobaczył małą tłustą rękę, która wsunęła się i złapała z tacy bułeczkę. I znów Braciszek zachichotał. Próbował się powstrzymać, ale nie mógł. Wezbrało w nim tyle chichotu, że aż zabulgotał. Panna Cap popatrzyła na niego ze złością. Uważała go pewnie za najbardziej męczącego chłopca na świecie. Szczególnie teraz, kiedy chciała spędzić przyjemną chwilę przy kawie!

– Proszę zgadnąć, co będę robił, kiedy będę tak duży jak pani – powtórzył Braciszek i zachichotał. Bo teraz zobaczył dwie ręce, które zgarnęły resztę bułeczek z blachy.

— Nie mam czasu stać tu i wysłuchiwać twoich głupot — odparła panna Cap. — I nie obchodzi mnie, co będziesz robił, jak będziesz duży. Ale póki jesteś mały, masz być grzeczny i posłuszny. Masz zniknąć z kuchni i odrabiać lekcje.

— Rozumie się — zgodził się Braciszek i zaczął tak chichotać, że musiał odwrócić się do drzwi. — Ale jak będę tak duży jak pani, zacznę się odchudzać, to pewne.

Wydawało się, że panna Cap chce się rzucić na Braciszka, ale w tym samym momencie od okna doleciało jakby ryczenie krowy. Odwróciła się gwałtownie i wtedy spostrzegła, że bułeczki zniknęły.

Panna Cap dosłownie zawyła:

— Święty Mojżeszu, gdzie są moje bułeczki?!

Rzuciła się do okna. Może sądziła, że zobaczy złodzieja, który ucieka z bułeczkami w ramionach. Ale rodzina Svantessonów mieszkała przecież na czwartym piętrze, a tak długonogich złodziei nie ma, tyle musiała pojąć.

Panna Cap opadła na krzesło całkiem wystraszona.

— Czyżby to gołębie? — wymamrotała.

— To brzmiało bardziej jak krowa — odparł Braciszek.

— Może lata tu sobie jakaś krowa, która lubi bułeczki.

— Nie bądź głupi! — warknęła panna Cap.

Wtedy Braciszek znów usłyszał szum motorka Karlssona za oknem i żeby panna Cap niczego nie zauważyła, zaczął śpiewać na całe gardło:

O skrzydłach lśniących pewna krasula
z nieba sfrunęła prościutko,
lubi bułeczki ta pewna krasula,
gdy je zobaczy, zwędza prędziutko.

Braciszek czasami układał wiersze razem z mamusią i uważał, że ten o krasuli był dobry. Ale panna Cap tak nie uważała.

— Przestań pleść głupoty! — krzyknęła.

W tej samej chwili od strony okna usłyszeli cichy zgrzyt, na którego dźwięk oboje aż podskoczyli ze strachu. A potem zobaczyli, co tak zgrzytnęło. Na pustej blasze po bułeczkach leżała pięcioörówka.

Braciszek znów zaczął chichotać.

— Ale świetna krowa — powiedział. — Płaci za swoje bułeczki.

Panna Cap zrobiła się czerwona z wściekłości.

— Co to za głupie żarty! — wrzasnęła i gwałtownie rzuciła się do okna.

— To musi być ktoś z mieszkania nad nami, kto zabawia się kradzieżą bułek i rzucaniem pięcioörówek.

— Nad nami nie ma mieszkania — powiedział Braciszek. — My mieszkamy na ostatnim piętrze, nad nami jest tylko dach.

— Ja tego nie rozumiem! — krzyknęła panna Cap. — Niczego nie rozumiem!

— Wiem, już to zauważyłem — odparł Braciszek. — Ale niech się pani nie martwi, przecież nie wszyscy muszą być pojętni.

Wtedy Braciszek dostał policzek.

— Ja cię oduczę bezczelności! — wrzasnęła panna Cap.

— Nie, nie rób tego — powiedział Braciszek. — Bo jak mamusia wróci do domu, to mnie nie pozna.

Oczy Braciszka stały się błyszczące. Zbierało mu się na płacz. Nigdy przedtem nie dostał w twarz i bardzo mu się to nie spodobało. Ze złością wpatrywał się w pannę Cap. Wtedy chwyciła go za ramię i wepchnęła do jego pokoju.

— Teraz siedź tu i wstydź się — powiedziała. — Zamknę drzwi i zabiorę klucz, to może przestaniesz latać co chwilę do kuchni.

Potem spojrzała na zegarek na ręce.

— Godzina może wystarczy, żebyś stał się grzeczny. Przyjdę otworzyć o trzeciej. Do tej pory możesz się zastanowić, co trzeba powiedzieć na przeprosiny.

I panna Cap wyszła. Braciszek słyszał, jak przekręcała klucz.

Został zamknięty. Było to paskudnc uczucie. Tryskał nienawiścią do panny Cap. Ale jednocześnie miał trochę nieczyste sumienie, bo przecież nie zachowywał się naprawdę grzecznie w stosunku do niej. Mamusia pomyślałaby pewnie, że drażnił się z Capem Domowym i był bezczelny.

Mamusia, tak... zastanawiał się chwilkę, czyby nie popłakać trochę.

Ale w tym momencie usłyszał warkot i przez okno wleciał Karlsson.

Karlsson zaprasza
na bułeczkowe przyjęcie

— Co byś powiedział na małą przekąskę? — spytał Karlsson. — Czekolada i bułeczki u mnie na ganku... Zapraszam!

Braciszek tylko patrzył na niego. O, Karlsson jest najcudowniejszy ze wszystkich! Braciszek chciał go uściskać i próbował to zrobić, ale Karlsson go kuksnął.

— Spokój, grunt to spokój! Nie jesteś teraz u babci. No, idziesz?

— Też pytanie! — odpowiedział Braciszek. — Chociaż właściwie jestem zamknięty. Właściwie to siedzę zupełnie jak w więzieniu.

— Tak sądzi Cap Domowy — odparł Karlsson. — I jeszcze przez dobrą chwilę może tak myśleć.

Oczy mu zalśniły i wykonał przed Braciszkiem kilka małych, radosnych podskoków.

— Wiesz co? Będziemy się bawić, że ty siedzisz w więziennym lochu i jest ci straszliwie, bo strażnikiem więziennym jest obrzydliwy cap domowy, i wtedy pojawia się niesłychanie odważny i silny, i piękny, i w miarę tęgi bohater i ratuje cię.

— Jaki bohater? — spytał Braciszek.

Karlsson popatrzył na niego z wyrzutem.

— Spróbuj zgadnąć, jeśli potrafisz!

— Aha, ty — powiedział Braciszek. — Ale w takim razie
uważam, że możesz ratować mnie już teraz, natychmiast.

Karlsson nie miał nic przeciwko temu.

— Bo on jest także szybki, ten bohater — zapewnił Karlsson. — Szybki jak jastrząb, tak, naprawdę. I odważny, i silny, i piękny, i w miarę tęgi, i pędzi, i ratuje cię, i jest taki
odważny, o taaaki. Hoj, hoj, właśnie nadchodzi!

Karlsson mocno chwycił Braciszka i wzbił się w powietrze. Bimbo zaczął szczekać, kiedy ujrzał Braciszka zni-
kającego za oknem, ale Braciszek zawołał:

— Spokój, grunt to spokój! Niedługo wracam!

Na górze, na ganku Karlssona leżało rządkiem dziesięć bułeczek, które wyglądały bardzo apetycznie.

— Uczciwie zapłaciłem za każdą z nich — powiedział Karlsson. — Dzielimy się sprawiedliwie, ty bierzesz siedem i ja siedem.

— Tak się nie da — powiedział Braciszek. — Siedem i siedem to razem czternaście, a tu jest tylko dziesięć.

Karlsson pośpiesznie zgarnął siedem bułeczek w małą kupkę.

— Tu są w każdym razie moje — powiedział i położył tłustą rękę na kupce bułeczek. — Wy obecnie liczycie w szkole tak bezsensownie. Ale przecież ja nie muszę z tego powodu cierpieć. Każdy z nas bierze siedem, powiedziałem, i te są moje.

Braciszek skinął głową.

— Ja i tak nie dam rady zjeść więcej niż trzy. A czekolada, gdzie ją masz?

— Na dole u Capa Domowego — odparł Karlsson. — I stamtąd ją zaraz przyniesiemy.

Braciszek spojrzał na niego przerażony. Nie miał najmniejszej ochoty na ponowne spotkanie z panną Cap i być może jeszcze jeden policzek. Nie wiedział, jak mają zdobyć puszkę kakao. Nie stoi ona przecież w otwartym oknie, tak jak przedtem blacha z bułeczkami, tylko na półce obok pieca, prosto przed oczami panny Cap.

— Jak to, u licha, chcesz zrobić? — spytał Braciszek.

Karlsson zarechotał wesoło.

— Tak, taki mały, głupi chłopczyk jak ty nie może oczywiście tego wykombinować! Ale teraz akurat wziął sprawę w swoje ręce najlepszy na świecie spryciarz, więc bądź spokojny.

— Tak, ale jak... — zaczął Braciszek.

— Słuchaj — przerwał mu Karlsson — powiedz mi, czy widziałeś kiedyś balkoniki do trzepania dywanów, które są w waszym domu?

Braciszek oczywiście widział balkoniki. Mamusia zwykle trzepała na ich balkoniku kuchenne dywaniki. Balkonik był bardzo wygodny, bo wychodziło się na niego przez oszklone drzwi, które znajdowały się tylko pół piętra wyżej od drzwi do mieszkania.

— Tylko dziesięć stopni od waszych drzwi frontowych — powiedział Karlsson. — Nawet taki guzdrała jak ty powinien je przebiec bardzo szybko.

Braciszek nic nie rozumiał.

— Dlaczego mam biec na balkon do trzepania?

Karlsson westchnął.

— Wszystko trzeba ci tłumaczyć, mały, głupi chłopaku! No, nadstaw uszu i słuchaj, co wymyśliłem.

— No, słucham — odparł Braciszek.

— A więc — zaczął Karlsson. — Mały, głupi chłopiec ląduje z Karlssonem na balkonie, potem zbiega pół piętra i mocno i długo dzwoni do drzwi. Pojmujesz? Zły Cap Domowy słyszy dzwonek i twardym krokiem idzie otworzyć... a więc w kuchni nie ma nikogo! Odważny i w miarę tęgi bohater wlatuje przez okno i wylatuje znów, ale z puszką kakao w garści. Mały, głupi chłopiec dzwoni znów, tylko po to, żeby trochę podrażnić Capa Domowego, i pędem wraca na balkonik. Zły Cap Domowy otwiera drzwi i robi się jeszcze bardziej zły, kiedy widzi, że pod drzwiami nie stoi nikt z wiązanką czerwonych róż dla niej. Wścieknie się i zatrzaśnie drzwi. Mały, głupi chłopiec pochichoce sobie na balkonie aż do momentu, gdy w miarę tęgi bohater zabierze go na bułeczkowe przyjęcie na ganku. Hejsan, hopssan, Braciszku! Zgadnij, kto jest najlepszym figielkarzem na świecie... No, zaczynamy!

Braciszek nie zdążył pisnąć, a już znalazł się w drodze z dachu na balkonik. Karlsson spikował z nim tak, że świstało koło uszu i łaskotało w żołądku bardziej niż w wesołym miasteczku. Potem wszystko poszło dokładnie według planu. Karlsson pofurkotał do kuchennego okna, a Braciszek zbiegł na dół i zadzwonił do drzwi mocno i długo. Wkrótce usłyszał kroki, które zbliżały się do przedpokoju. Wtedy zachichotał i rzucił się z powrotem na balkon. Sekundę później na dole otworzyły się drzwi i pana Cap wytknęła głowę. Braciszek mógł ją widzieć, zerkając ostrożnie przez szybkę w drzwiach balkonowych. I Karlsson miał rację... Zły Cap Domowy zrobił się jeszcze bardziej zły, gdy zobaczył, że nikogo nie ma. Panna Cap mruczała głośno sama do siebie i dłuższą chwilę stała w otwartych drzwiach, jakby czekała, że ten ktoś, kto zadzwonił, nagle pojawi się przed nią. Ale ten, co zadzwonił, stał na balkonie, cichutko chichocząc, póki nie przyleciał w miarę tęgi bohater i nie zabrał go na bułeczkowe przyjęcie na swoim ganku.

Dla Braciszka było to najprzyjemniejsze przyjęcie bułeczkowe ze wszystkich, w jakich dotąd brał udział.

— Teraz czuję się świetnie — powiedział, siedząc na ganku obok Karlssona. Zajadał bułeczki, popijał czekoladę

i spoglądał na dachy i wieże Sztokholmu, które połyskiwały w słońcu. Bułeczki były smaczne, czekolada także doskonała. Sam ją przygotował na kuchence Karlssona. Wszystko, co było potrzebne, mleko i kakao, i cukier, Karlsson świsnął z kuchni.

– I za wszystko, za każdą okruszynę, porządnie zapłaciłem pięcioma öre, które leżą na stole w kuchni – powiedział Karlsson. – Jak już jest się uczciwym, to się jest, nic nie można na to poradzić.

– Skąd masz tyle pięcioörówek? – spytał zaciekawiony Braciszek.

– Z portmonetki, którą znalazłem parę dni temu na ulicy – odpowiedział Karlsson. – Pełną pięcioörówek i innych monet!

– Biedny ten, co zgubił portmonetkę – powiedział Braciszek. – Na pewno się zmartwił.

– No, ale jak się jest kierowcą taksówki, trzeba pilnować swoich rzeczy!

– Skąd wiesz, że to był kierowca taksówki? – zapytał zdumiony Braciszek.

– Widziałem, jak wypadła mu portmonetka – odpowiedział Karlsson. – A że był kierowcą taksówki, zorientowałem się po znaczku na jego czapce. Przecież nie jestem głupi.

Braciszek z wyrzutem spojrzał na Karlssona. Musi mu powiedzieć, że naprawdę nie można tak robić z rzeczami, które się znajdzie. Ale nie musi mówić o tym właśnie w tej chwili... Innym razem! Teraz chciał tylko siedzieć na ganku i cieszyć się blaskiem słońca, bułeczkami, czekoladą i Karlssonem.

Karlsson szybko wciął siedem swoich bułeczek. Braciszek był wolniejszy. Zjadał właśnie drugą. Trzecia leżała obok niego na schodku.

— Och, jak ja się dobrze czuję — odezwał się Braciszek.

Karlsson pochylił się do przodu i zajrzał mu głęboko w oczy.

— Nie, wcale nie czujesz się dobrze.

Przyłożył dłoń do czoła Braciszka.

— Tak myślałem! Typowy przypadek bułeczkowej gorączki.

Braciszek zdziwił się.

— Co to takiego... ta bułeczkowa gorączka?

— Dostaje się jej, gdy się zje za dużo bułeczek.

— W takim razie ty masz jeszcze większą bułeczkową gorączkę — powiedział Braciszek.

— Tak sądzisz? — odparł Karlsson. — Ale, widzisz, ja dostałem bułeczkowej gorączki, kiedy miałem trzy lata, a ma się ją tylko raz w życiu, tak samo jak odrę czy koklusz.

Braciszek wcale nie czuł się chory i próbował powiedzieć o tym Karlssonowi. Ale Karlsson zmusił go do położenia się na ganku i dokładnie spryskał mu twarz czekoladą.

— Żebyś nie zemdlał — wyjaśnił. Potem pochwycił ostatnią bułeczkę Braciszka.

— Jeszcze jedna bułeczka to byłaby czysta śmierć! Ale pomyśl, jakie to szczęście dla tej biednej małej bułeczki, że ja istnieję, inaczej leżałaby tu na ganku całkiem samotna — powiedział Karlsson i szybko pochłonął bułeczkę.

— No, teraz już nie jest samotna — stwierdził Braciszek.

Karlsson pogładził się z zadowoleniem po brzuchu.

– Nie, teraz jest razem ze swoimi koleżankami i jest jej dobrze.

Braciszkowi także było bardzo dobrze. Leżał na podłodze ganku i czuł, jak mu dobrze, mimo bułeczkowej gorączki. Był syty i wcale nie żałował Karlssonowi tamtej bułeczki.

Spojrzał na zegarek. Do trzeciej brakowało parę minut. Braciszek zaczął się śmiać.

– Zaraz panna Cap otworzy moje drzwi. Och, chciałbym widzieć, jak wchodzi do mojego pokoju, a mnie tam nie ma.

Karlsson poklepał go przyjaźnie po ramieniu.

– Ze swoimi małymi zachciankami zwracaj się do Karlssona, a on wszystko ci załatwi. Pobiegnij tylko i przynieś moją lornetkę. Wisi na czternastym gwoździu, licząc od kanapy, dość wysoko, wejdź na stół stolarski.

Braciszek zachichotał.

– No, ale ja mam przecież bułeczkową gorączkę. Nie trzeba wtedy leżeć spokojnie?

Karlsson potrząsnął przecząco głową.

– Leżeć spokojnie i chichotać... Myślisz, że to pomoże na bułeczkową gorączkę?! Przeciwnie, im więcej będziesz biegał po ścianach i dachu, tym szybciej będziesz zdrów, możesz o tym przeczytać w każdej medycznej książce.

A ponieważ Braciszek bardzo chciał się pozbyć bułeczkowej gorączki, posłusznie wbiegł do domku, wdrapał się na stół stolarski i zdjął lornetkę, która wisiała na czternastym gwoździu, licząc od kanapy. Na tym samym gwoździu

wisiał też obraz z małym czerwonym kogutem w jednym rogu. Karlsson sam go namalował. Braciszek przypomniał sobie, że Karlsson jest najlepszym na świecie malarzem kogutów. Ten obraz nazywał się „Portret bardzo samotnego, małego, czerwonego koguta" — tak było napisane na dole. I był to z pewnością najbardziej samotny i mały, i czerwony kogut, jakiego Braciszek kiedykolwiek widział. Ale nie miał czasu wpatrywać się w niego dłużej, zaraz będzie trzecia i teraz się śpieszył.

Gdy wrócił z lornetką, Karlsson stał gotowy, i nim Braciszek zdążył pisnąć, Karlsson poszybował z nim nad ulicą i wylądował na dachu domu naprzeciwko.

Wtedy Braciszek zrozumiał.

– Och, jakie wspaniałe miejsce, jeśli się ma lornetkę i chce się zajrzeć do mojego pokoju.

– Ma się ją i chce się – powiedział Karlsson i przyłożył lornetkę do oczu.

Potem Braciszek też mógł popatrzeć przez nią. I zobaczył swój pokój tak wyraźnie, jakby tam był. Bimbo spał w swoim koszu, widać też było łóżko Braciszka i biurko, na którym leżały podręczniki, i zegar na ścianie. Właśnie wybił trzecią. Ale panny Cap nie było widać.

– Spokój, grunt to spokój – powiedział Karlsson. – Ona jest już w drodze, bo czuję ciarki wzdłuż kręgosłupa i dostaję gęsiej skórki.

Wyrwał Braciszkowi lornetkę i przytknął ją do oczu.

– A nie mówiłem? Właśnie drzwi się otwierają i oto wchodzi, urocza i milutka jak wódz kanibali – zarechotał. – A jakże, teraz szeroko otwiera oczy! Gdzie jest Braciszek? Pomyśleć, a gdyby tak wypadł przez okno!

Pannie Cap chyba też przyszło to do głowy, bo podbiegła do okna bardzo wystraszona. Braciszkowi naprawdę było jej żal. Wychyliła się i spojrzała w dół na ulicę, jak gdyby spodziewała się zobaczyć tam Braciszka.

– Nie, tam go nie ma – powiedział Karlsson. – Zbaraniała, co?

Panna Cap wydawała się spokojniejsza.

– Teraz szuka – opowiadał Karlsson. – Szuka w łóżku... i za stołem... i pod łóżkiem, ho, ho, tak, tak... czekaj, idzie do garderoby, pewnie sądzi, że leżysz tam zwinięty w mały kłębuszek i płaczesz.

Karlsson znów zarechotał.

— Już pora pofigielkować z nią — powiedział.

— Ale jak? — zaciekawił się Braciszek.

— A tak — odparł Karlsson. I znów zanim Braciszek zdążył pisnąć słowo, Karlsson poszybował z nim przez ulicę i postawił go w pokoju.

— Hejsan, hoppsan, Braciszku, bądź miły dla Capa Domowego — powiedział Karlsson. I odleciał. Zdaniem Braciszka nie był to jakiś szczególnie dobry sposób figielkowania. Ale przecież przyrzekł pomóc najlepiej, jak potrafi. Dlatego przemknął się bezszelestnie przez pokój, usiadł przy biurku i otworzył książkę do rachunków. Słyszał, jak panna Cap szpera w garderobie. W napięciu czekał, żeby stamtąd wyszła. I wyszła. A wtedy ujrzała Braciszka. Cofnęła się do drzwi garderoby i stała tam w zupełnym milczeniu, wytrzeszczając na niego oczy. Parę razy mrugnęła powiekami, zupełnie jakby chciała sprawdzić, czy na pewno dobrze widzi.

— A gdzieś ty się, na litość boską, chował? — spytała w końcu.

Braciszek uniósł głowę znad książki i spojrzał na nią niewinnie.

— Ja się nie chowałem. Siedzę tu przecież i odrabiam rachunki. Skąd mam wiedzieć, że pani bawi się w chowanego. Ale proszę bardzo... niech pani znów wlezie do garderoby, to chętnie poszukam.

Panna Cap nic na to nie odpowiedziała. Stała cicho i rozmyślała.

— Chyba nie jestem chora — wymamrotała. — W tym domu dzieją się takie dziwne rzeczy.

Właśnie w tym momencie Braciszek usłyszał, że ktoś ostrożnie zamknął drzwi od zewnątrz. Braciszek zachichotał. Najlepszy na świecie poskramiacz capów domowych najwyraźniej wleciał przez kuchenne okno, żeby pokazać Capowi Domowemu, jak to jest być zamkniętym.

Panna Cap niczego nie usłyszała. Stała milcząca i zadumana. W końcu powiedziała:

— Dziwne! No, możesz wyjść pobawić się, a ja tymczasem będę szykowała obiad.

— Dziękuję, to miło — odparł Braciszek. — I już nie muszę być zamknięty?

— Nie musisz — odpowiedziała panna Cap i ruszyła do drzwi. Położyła rękę na klamce i nacisnęła ją raz, a potem drugi. Ale drzwi nie chciały się otworzyć. Wtedy rzuciła się na nie całym ciężarem. Nie pomogło. Drzwi pozostały nadal zamknięte.

Panna Cap zawyła.

– Kto zamknął drzwi? – wrzasnęła.

– Pewnie pani sama – odezwał się Braciszek.

Panna Cap prychnęła.

– Gadanie! Jak mogą być drzwi zamknięte od zewnątrz, kiedy ja jestem w środku!

– Tego nie wiem – powiedział Braciszek.

– A może to Bosse albo Bettan? – dopytywała się panna Cap.

– Nie, oni są jeszcze w szkole – zapewnił ją Braciszek.

Wtedy panna Cap siadła ciężko na krześle.

– Wiesz, co myślę? – spytała. – Ja myślę, że w tym domu jest duch.

Braciszek skinął głową. Och, jak to dobrze, że panna Cap pomyślała, że Karlsson jest duchem. Bo chyba nie zechce zostać w domu, w którym straszy.

– Boi się pani duchów? – spytał Braciszek.

– Przeciwnie – odparła panna Cap. – Cieszę się, że są! Pomyśl, teraz może ja też wystąpię w telewizji! Wiesz, mają tam program, w którym ludzie opowiadają o swoich spotkaniach z duchami, a to, co mnie spotkało tu przez jeden dzień, wystarczy na dziesięć audycji.

Panna Cap sprawiała wrażenie szczerze uradowanej.

– To rozzłości moją siostrę Fridę, mówię ci. Bo Frida była w telewizji i opowiadała o wszystkich duchach, które widziała, i wszystkich głosach duchów, które słyszała, i Bóg wie co jeszcze. Ale teraz ja będę górą.

– Czy pani słyszała głosy jakichś duchów? – zaciekawił się Braciszek.

– Tak. Pamiętasz, jak ryczało za oknem, kiedy zniknęły bułeczki? Spróbuję naśladować ten głos w telewizji, żeby ludzie mogli usłyszeć, jak to brzmiało.

I panna Cap wydała z siebie taki ryk, że Braciszek podskoczył na krześle.

– Tak mniej więcej – powiedziała panna Cap z zadowoleniem.

Wtedy za oknem rozległ się jeszcze straszniejszy ryk i panna Cap pobladła.

– On mi odpowiada – wyszeptała. – Duch mi odpowiada. Opowiem o tym w telewizji. Święty Mojżeszu, ale Frida będzie zła!

I opowiedziała Braciszkowi, jak Frida chwaliła się w telewizji wszystkimi swoimi duchami.

– Jeśli jej wierzyć, to całe Vasastan* roi się od duchów, a najwięcej ich, oczywiście, przesiaduje w naszym mieszkaniu, chociaż nie u mnie, tylko zawsze w jej pokoju. Masz pojęcie, pewnego wieczoru ręka ducha napisała na ścianie ostrzeżenie dla Fridy! Ale to jej się należało, słowo daję – stwierdziła panna Cap.

– Co to było za ostrzeżenie? – spytał Braciszek.

Panna Cap zastanawiała się chwilę.

– Jak to było... Aha, było napisane tak: „Miej się na baczności! Twoje bezgranicznie krótkie dni powinny mieć w sobie więcej powagi!".

* Vasastan – dzielnica Sztokholmu.

Braciszek miał taką minę, jakby nic z tego nie rozumiał, i rzeczywiście tak było. Panna Cap musiała mu wytłumaczyć.

— To było ostrzeżenie, żeby Frida zmieniła się i zaczęła żyć normalnie, i przestała się tak głupio zachowywać i pleść brednie.

— I tak się stało? — spytał Braciszek.

Panna Cap prychnęła pogardliwie.

— Nie przypuszczam. Ciągle się przechwala i uważa za gwiazdę telewizji, chociaż była tam tylko jeden raz. Ale teraz wiem, kto będzie górą.

Panna Cap zatarła ręce. Tak się cieszyła, że wreszcie będzie górować nad Fridą, iż w ogóle nie przejmowała się tym, że jest z Braciszkiem zamknięta. Siedziała bardzo zadowolona i porównywała duchy Fridy ze swoimi tak długo, dopóki Bosse nie wrócił ze szkoły.

Wtedy Braciszek krzyknął:

— Chodź tu i otwórz! Jestem zamknięty z Ca... z panną Cap!

Bosse otworzył drzwi i bardzo się zdziwił.

— Na litość boską, kto was tu zamknął? — spytał.

Panna Cap zrobiła tajemniczą minę.

— Pewnego dnia usłyszysz o tym w telewizji.

Teraz śpieszyła się, żeby zdążyć z obiadem. Wielkimi krokami pomaszerowała do kuchni.

W następnej chwili dał się słyszeć stamtąd krzyk. Braciszek popędził do kuchni.

Panna Cap siedziała na krześle, bledsza niż przedtem, i bez słowa wskazywała na ścianę.

Naprawdę nie tylko Frida otrzymała ostrzeżenie od ducha. Panna Cap dostała je także. Wypisane było na ścianie wielkimi kulfonami i już z daleka widoczne.

„Miej się na baczności! W twoich bezczelnie drogich bułeczkach powinno być trochę więcej cynamonu!"

Karlsson i telewizor

Tatuś przyszedł na obiad i powiedział, że jest nowe zmartwienie.

— Biedne dzieci. Wygląda na to, że kilka dni będziecie musieli radzić sobie sami. Całkowicie nieoczekiwanie muszę polecieć w interesach do Londynu. Co myślicie, jak to będzie?

— Będzie dobrze — odparł Braciszek. — Tylko uważaj na śmigło.

Wtedy tatuś się roześmiał.

— Myślałem raczej o tym, jak to będzie tutaj w domu, bez mamy i beze mnie.

Zdaniem Bossego i Bettan wszystko będzie świetnie. Bettan stwierdziła, że może być nawet miło zostać raz bez rodziców.

— Tak, ale pomyśl o Braciszku — powiedział tatuś.

Bettan czule pogładziła Braciszka po jasnej łepetynie.

— Dla niego będę jak matka — zapewniła.

Ale tatuś nie był tego taki pewny. Braciszek też nie.

— Ciągle gdzieś wychodzisz i latasz ze swoimi chłopakami, właśnie wtedy, kiedy człowiek najbardziej potrzebuje — mruknął Braciszek.

Bosse próbował go pocieszyć.

— No to masz jeszcze mnie.

— Aha, na boisku w Östermalm — powiedział Braciszek.

Bosse roześmiał się.

— Pozostaje tylko Cap Domowy. Ona nie lata z chłopakami i nie kopie piłki.

— Niestety, nie — potwierdził Braciszek.

Siedział i próbował określić, jak bardzo nie lubi panny Cap. Ale nagle uzmysłowił sobie coś dziwnego — już wcale nie był na nią zły. Ani odrobinę. Braciszek wpadł w osłupienie. Jak to się stało? Wystarczy dwie godziny być zamkniętym z drugim człowiekiem, żeby nauczyć się z nim wytrzymywać? Nie oznaczało to, że nagle zaczął lubić pannę Cap — bynajmniej — ale stała się jakby trochę bardziej ludzka. Biedna, musi mieszkać razem z tą Fridą! Braciszek wiedział dobrze, co to znaczy mieć uciążliwą siostrę. A przecież Bettan nie przechwalała się duchami w telewizji jak Frida.

— Nie chcę, żebyście byli sami w nocy — powiedział tatuś. — Spytam pannę Cap, czy zechce pomieszkać tu, kiedy mnie nie będzie.

— To teraz będę się z nią szamotał i w dzień, i w nocy? — zapytał Braciszek. Ale w głębi duszy uważał, że dobrze mieć kogoś, kto będzie czuwał nad nimi w nocy, nawet jeśli to ma być Cap Domowy.

A panna Cap nadspodziewanie chętnie zgodziła się zamieszkać z dziećmi. Kiedy została sama z Braciszkiem, wyjaśniła dlaczego.

— Przecież nocami najbardziej straszy, rozumiesz? I teraz zgromadzę tyle do programu w telewizji, że Frida spadnie z krzesła, kiedy zobaczy mnie na ekranie.

Braciszek zaniepokoił się. A jeśli podczas nieobecności tatusia panna Cap zacznie ściągać do domu tłumy reporterów telewizyjnych i któryś z nich przypadkiem zobaczy Karlssona, och, wtedy Karlsson znajdzie się w telewizji, to pewne, chociaż wcale nie jest żadnym duchem, tylko Karlssonem. I potem nie będzie już spokoju w domu, czego tak bardzo bali się i mamusia, i tatuś. Braciszek zrozumiał, że musi ostrzec Karlssona i poprosić go, żeby był ostrożny.

Nie odważył się zrobić tego wcześniej niż następnego wieczoru. Był w domu sam. Tatuś pojechał już do Londynu, Bosse i Bettan gdzieś wyszli, każde w swoją stronę, a panna Cap poszła przespacerować się do Fridy, żeby zapytać, czy ostatnio widziała jakieś duchy.

— Niedługo wracam — powiedziała do Braciszka, wychodząc. — A jak przyjdą jakieś duchy, to poproś je, by poczekały chwilę, cha, cha, cha!

Panna Cap żartowała rzadko i prawie nigdy się nie śmiała. A gdy czasem to robiła, czuło się wdzięczność, że nie zdarza się to częściej. A teraz właśnie była rozradowana. Braciszek jeszcze długo słyszał jej śmiech na schodach. Był to śmiech, który odbijał się echem o ściany klatki schodowej.

Zaraz potem przez okno wleciał Karlsson.

— Hejsan, hoppsan, Braciszku, co będziemy robić? — zapytał. — Masz jakąś maszynę parową, którą możemy wysadzić, albo jakiegoś capa domowego, którego możemy tirrytować, albo cokolwiek, ale musi być wesoło, inaczej się nie bawię!

— Możemy pooglądać telewizję — zaproponował Braciszek.

I wtedy okazało się, że Karlsson nie ma pojęcia o telewizji! Nigdy w życiu nie widział telewizora. Braciszek zabrał

go do bawialni i z dumą pokazał ich nowy dwudziestotrzy-
calowy telewizor.

— Patrz!

— Co to za pudło? — spytał Karlsson.

— To nie żadne pudło, to przecież telewizor — wyjaśnił
Braciszek.

— Co się trzyma w takich pudłach? — zapytał Karlsson. — Bułeczki?

Braciszek roześmiał się.

— Do tego on się raczej nie nadaje! Zaraz zobaczysz,
co to jest.

Włączył telewizor i nagle na srebrnym ekranie pojawił się jakiś pan, który mówił, jaka pogoda będzie w północnej Norlandii*.

Oczy Karlssona zrobiły się okrągłe ze zdumienia.

— Jak złapaliście go do pudła?

Braciszek roześmiał się na całe gardło.

— No a jak myślisz? Wlazł tam, kiedy był mały, to chyba jasne!

— Po co go macie? — chciał wiedzieć Karlsson.

— Ech, nie rozumiesz, że ja żartuję — odparł Braciszek. — On oczywiście nie wlazł tam, kiedy był mały, i on nie jest nasz. On po prostu tam jest, no, wiesz, i mówi, jaka jutro będzie pogoda. Bo jest takim facetem od pogody, rozumiesz?

Karlsson zachichotał.

— Wsadziliście do pudła specjalnego faceta tylko po to, żeby mówił, jaka pogoda będzie jutro... Przecież możecie sami zobaczyć! Jak chcesz, zapytaj mnie... Będzie burza i deszcz, i grad, i sztorm, i trzęsienie ziemi. Jesteś teraz zadowolony?

— Na najdalszym brzegu Norlandii jutro sztorm i deszcz — powiedział pan od pogody.

Zachwycony Karlsson zaśmiał się.

— A nie mówiłem... sztorm i deszcz!

Podszedł do telewizora i przytknął nos do nosa pana od pogody.

— I trzęsienie ziemi, nie zapomnij o tym! Biedni norlandczycy, będą mieli taką pogodę! Ale i tak powinni się

* Norlandia — kraina na północy Szwecji.

cieszyć, że w ogóle będą mieli jakąś pogodę. Pomyśl, gdyby tak nie mieli żadnej.

Poklepał przyjacielsko pana na ekranie.

– Taki ładny malutki staruszek – powiedział. – Mniejszy ode mnie. To lubię.

Potem ukląkł i spojrzał na aparat od dołu.

– A właściwie to którędy on tam wszedł?

Braciszek próbował wyjaśnić, że to jest tylko obraz, a nie żywy człowiek w okienku, ale wtedy Karlsson omal nie wpadł w złość.

– To możesz wciskać komu innemu, głupcze! Przecież on się rusza. A o pogodzie w północnej Norlandii zazwyczaj mówią nieżywi ludzie, co?

Braciszek niewiele wiedział o telewizji, ale najlepiej jak potrafił starał się wyjaśnić Karlssonowi, na czym polega jej działanie. Jednocześnie chciał również ostrzec Karlssona.

– Wyobraź sobie, że panna Cap chce wystąpić w telewizji – zaczął mówić, ale Karlsson wybuchnął głośnym śmiechem.

– Cap Domowy w takim małym pudle! Taka wielka klucha to będzie musiała zwinąć się poczwórnie.

Braciszek westchnął. Karlsson najwyraźniej niczego nie pojął. Braciszek musiał tłumaczyć wszystko od początku. Wydawało się to beznadziejne, ale w końcu Karlsson zrozumiał jednak, jak dziwnie takie urządzenie działa. Panna Cap nie potrzebuje włazić do telewizora, może sobie całkiem spokojnie siedzieć wiele mil dalej, a mimo to można zobaczyć ją na ekranie telewizora jak żywą, zapewniał Braciszek.

— Cap Domowy jak żywy... o, to straszne — powiedział Karlsson. — Lepiej wyrzućcie pudło albo zamieńcie na pełne bułeczek, wtedy jeszcze zarobicie.

Właśnie w tym momencie na ekranie pokazała się ładna spikerka. Uśmiechnęła się przyjaźnie. Karlsson wytrzeszczył oczy.

— Chociaż to musiałyby być bardzo dobre bułeczki, oczywiście — powiedział. — Bo ja widzę, że jest więcej osób w tym pudle, niż się wydaje na początku.

Spikerka nadal uśmiechała się przyjaźnie do Karlssona i Karlsson uśmiechnął się do niej. Jednocześnie kuksnął Braciszka w bok.

— Spójrz tylko na tę panieneczkę! Ona mnie lubi... tak, bo przecież widzi, że jestem przystojnym i nadzwyczaj mądrym, i w miarę tęgim mężczyzną w najlepszych latach.

Nagle spikerka zniknęła. Zamiast niej pojawili się dwaj poważni, brzydcy panowie, którzy tylko mówili i mówili. To nie spodobało się Karlssonowi. Zaczął kręcić gałkami i naciskać kolejno wszystkie guziki.

— Nie, nie rób tak! — zaprotestował Braciszek.

— Będę, bo chcę przykręcić tę ładną panieneczkę — odparł Karlsson.

Kręcił gwałtownie, ale spikerka nie wracała. Jedynie brzydcy panowie zrobili się jeszcze brzydsi. Mieli teraz małe, malutkie nóżki i bardzo wysokie czoła. Wtedy Karlsson zaczął się z nich śmiać. Dłuższą chwilę bawił się też, wyłączając i włączając telewizor.

— Dziadki przychodzą i odchodzą dokładnie wtedy, kiedy chcę — stwierdził zadowolony.

Obaj panowie mówili i mówili, dopóki Karlsson pozwalał im na to.

— Moim zdaniem, to jest tak — powiedział pierwszy.

— Mnie to nie obchodzi! — zawołał Karlsson. — Idź do domu i kładź się do łóżka!

Z trzaskiem wyłączył telewizor i zaśmiał się zachwycony.

— Pomyśl, jak to musiało rozzłościć tego dziadka, że nie pozwoliłem mu powiedzieć, jak to jest jego zdaniem!

Potem Karlsson znudził się telewizją i chciał zająć się czymś innym, co byłoby zabawne.

— Gdzie jest Cap Domowy? Daj ją tu, żebym ją trochę pofigurkował.

— Pofigurkować... co to znaczy? — spytał niespokojnie Braciszek.

— Istnieją — zaczął Karlsson — trzy sposoby poskromienia capów domowych. Można je tirrytować albo z nimi figielkować, albo je figurkować. Tak, właściwie wszystkie trzy sposoby są podobne do siebie, ale figurkowanie przypomina bardziej walkę wręcz.

Braciszek stał się jeszcze bardziej niespokojny. Jeśli Karlsson wda się z panną Cap w walkę wręcz, ona go zobaczy. Do tego nie wolno dopuścić. Gdy nie ma mamusi i tatusia, Braciszek musi czuwać nad Karlssonem, nawet gdyby to było bardzo trudne. Musi jakoś nastraszyć Karlssona, żeby Karlsson zrozumiał, że powinien trzymać się z daleka od panny Cap. Braciszek przez chwilę się zastanawiał, a potem powiedział chytrze:

— Słuchaj, Karlsson, chyba nie chciałbyś znaleźć się w telewizorze?

Karlsson gwałtownie pokręcił głową.

— W tym pudle? Ja? Póki jestem zdrowy i mam siłę się bronić, to nie.

Ale chwilę potem się zamyślił.

— Chociaż... gdyby ta panieneczka też tam była w tym czasie!

Braciszek stanowczo zaprotestował. Niech no Karlsson tylko nie wyobraża sobie, że tak będzie! O nie, jeśli Karlsson znajdzie się w telewizji, to najpewniej razem z Capem Domowym!

Karlsson podskoczył.

— Cap Domowy i ja w jednym pudle... hoj, hoj, nie było trzęsienia ziemi w północnej Norlandii przedtem, to będzie teraz, zapisz to! W jaki sposób wpadłeś na coś tak niedorzecznego?

Wtedy Braciszek opowiedział wszystko o programie o duchach, w którym panna Cap zamierza wystąpić w telewizji, żeby Frida spadła z krzesła.

— A Cap Domowy widział jakiegoś ducha? — zaciekawił się Karlsson.

— Nie, nie widziała — odparł Braciszek. — Ale słyszała, jak jeden ryczał za oknem. Sądzi, że jesteś duchem.

I Braciszek wyjaśnił dokładnie, na czym polega związek między Fridą, Capem Domowym, Karlssonem i telewizją. Ale jeśli sądził, że przestraszy tym Karlssona, to był w błędzie. Karlsson bił się po kolanach z uciechy i szalał z zachwytu, a gdy się już wyszalał, walnął Braciszka w plecy.

— Uważaj na Capa Domowego! To najlepszy mebel, jaki macie w tym domu. Tylko na nią uważaj! Bo teraz naprawdę zacznie nam być wesoło.

— Jak to? — zapytał wystraszony Braciszek.

— Hoj! — wykrzyknął Karlsson. — Nie tylko Frida spadnie z krzesła. Trzymajcie się, wszystkie capy domowe i staruchy z telewizji, bo zobaczycie, kto przyleci!

Braciszek przeraził się jeszcze bardziej.

— Kto przyleci?

— Duszek z Vasastan! — krzyknął Karlsson. — Hoj, hoj!

Wtedy Braciszek poddał się. Ostrzegł Karlssona i próbował robić to, co chcieli tatuś i mamusia. Teraz będzie to, co chce Karlsson. Tak zresztą jest zawsze. Karlssonowi wolno było figielkować, straszyć i figurkować, ile dusza zapragnie. Braciszek nie zamierzał powstrzymywać go

dłużej. A kiedy już tak zdecydował, poczuł, że może być nawet zabawnie. Przypomniał sobie, jak kiedyś Karlsson był duchem i wystraszył złodziei, którzy chcieli ukraść pieniądze na życie i całe srebro stołowe. Karlsson też o tym nie zapomniał.

— Pamiętasz, jaką mieliśmy zabawę? — spytał. — Nawiasem mówiąc... gdzie jest tamten kostium ducha?

Braciszek musiał wyznać, że zabrała go mamusia. Była wtedy naprawdę zła z powodu prześcieradła, które Karlsson zniszczył. Ale potem załatała dziury i z kostiumu ducha znów zrobiła prześcieradło.

Karlsson, gdy to usłyszał, prychnął:

— Takie wścibianie we wszystko nosa potwornie mnie irytuje. Nigdy niczego w tym domu nie mogą zostawić w spokoju.

Usiadł na krześle nadąsany.

— Jak tak dalej będzie, to się nie bawię. Możecie sami sobie wytrzasnąć ducha, jakiego tylko chcecie.

Ale zaraz podbiegł do bieliźniarki i otworzył drzwi.

— Na szczęście jest tu więcej prześcieradeł.

Pochwycił najlepsze lniane prześcieradło, ale Braciszek rzucił się ku niemu.

— O nie! Nie to! Zostaw je... tu są stare, zniszczone prześcieradła i świetnie się nadają.

Karlsson miał niezadowoloną minę.

— Stare, zniszczone prześcieradła! Myślałem, że Duszek z Vasastan mógłby mieć trochę ładniejsze niedzielne ubranie. Ale proszę bardzo... to przecież i tak nie jest żaden porządny dom... dawaj te szmaty!

I Braciszek wygrzebał dwa podarte prześcieradła, które podał Karlssonowi.

— Jeśli je zszyjesz, to może będzie kostium ducha — stwierdził.

Karlsson stał ponury z prześcieradłami w ramionach.

— Jeśli je zszyję? Jeśli t y je zszyjesz, chciałeś powiedzieć. Polecimy do mnie, żeby Cap Domowy nie nakrył nas na fastrygowaniu.

Następną godzinę Braciszek siedział u Karlssona i szył kostium ducha. W szkole na pracach ręcznych uczył się zarówno ściegu przed igłą, jak i za igłą oraz krzyżykami, ale zszywania dwóch podartych prześcieradeł, tak żeby powstał z nich kostium ducha, nie uczył się. Musiał sam

obmyślić, jak to zrobić. Postanowił poprosić o pomoc Karlssona i zrobił w tym kierunku malutką próbę.

— Chyba mógłbyś przynajmniej skroić — zaproponował.

Karlsson pokręcił przecząco głową.

— Gdybym miał coś krajać, to byłaby to twoja mama, ją to chętnie bym posiekał. Musiała zabrać mój kostium ducha? To sprawiedliwe i słuszne, że nowy szyjesz ty. Zabieraj się do roboty i przestań biadolić!

Poza tym Karlsson powiedział, że nie ma czasu szyć, musi malować obraz, i to natychmiast.

— Tak mianowicie musi się robić, kiedy otrzyma się inspirację, a ja dostałem ją właśnie przed chwilą. Rozległo się tylko „plopp" i to przyszła inspiracja.

Braciszek nie wiedział, co to takiego inspiracja. Ale Karlsson wyjaśnił mu, że jest to pewnego rodzaju choroba, która dolega wszystkim malarzom obrazów, tak że muszą tylko malować i malować, i malować, zamiast szyć kostiumy dla duchów.

I Braciszek usadowił się na stole stolarskim ze skrzyżowanymi nogami i niczym krawiec szył i cerował, podczas gdy Karlsson wciśnięty w kąt przy piecu malował swój obraz. Za oknem panował już mrok, ale u Karlssona było jasno i przytulnie, świeciła się lampa naftowa, a w kominku płonął ogień.

— Mam nadzieję, że byłeś pilny i pracowity na lekcji robót ręcznych — odezwał się Karlsson. — Bo ja muszę mieć ładny kostium ducha. Przy szyi mereżkę albo ścieg gałązkowy.

Braciszek nie odpowiedział, tylko szył, ogień trzaskał, a Karlsson malował.

— A co ty malujesz? — zapytał Braciszek.

— Zobaczysz, jak będzie gotowe — odparł Karlsson.

W końcu Braciszek zszył kostium ducha i jego zdaniem wyglądał on całkiem dobrze. Karlsson przymierzył go i był bardzo zadowolony. Obleciał pokój dookoła parę razy, żeby się zaprezentować.

Braciszek zadygotał. Karlsson wyglądał przerażająco. Biedna panna Cap, przecież chciała ducha, a tu był taki, który mógł wystraszyć każdego.

— Teraz Cap Domowy może wysłać zaproszenie do dziadków z telewizji — powiedział Karlsson. — Bo wkrótce zjawi się Duszek z Vasastan, zmotoryzowany, dziki i piękny, i straszliwie niebezpieczny.

Karlsson latał wokół pokoju, rechocząc z zadowolenia. Już nie interesował go obraz. Braciszek podszedł, żeby zobaczyć, co Karlsson namalował.

„Portret moich królików" było napisane na samym dole przy ramce. Ale to, co Karlsson namalował, było małym czerwonym zwierzęciem, które najbardziej przypominało lisa.

— A to nie jest przypadkiem lis? — spytał Braciszek.

Karlsson spikował w dół i stanął koło Braciszka. Przechylił głowę i zerkał na swój obraz.

— Tak, to jest oczywiście lis. Bez wątpienia jest to lis namalowany przez najlepszego na świecie malarza lisów.

— No, ale napisałeś „Portret moich królików"... — powiedział Braciszek. — W takim razie gdzie są króliki?

— W brzuchu lisa — odparł Karlsson.

Karlsson instaluje dzwonek

Następnego dnia Bosse i Bettan obudzili się z jakąś dziwną czerwoną wysypką na całym ciele.

— Szkarlatyna — orzekła panna Cap, gdy ich zobaczyła.

To samo powiedział wezwany przez nią doktor.

— Szkarlatyna! Natychmiast do szpitala zakaźnego! Potem wskazał na Braciszka.

— A on na razie musi być izolowany.

Wtedy Braciszek zaczął płakać. Nie chciał być izolowany. Nie wiedział, na czym to polega, ale brzmiało okropnie.

— Ech — odezwał się Bosse, kiedy doktor już wyszedł.

— To oznacza tylko, że nie będziesz chodził do szkoły i że nie wolno ci spotykać się z innymi dziećmi. Żeby ich nie zarazić, rozumiesz?

Bettan leżała ze łzami w oczach.

— Biedny Braciszek — powiedziała. — Jaki ty będziesz samotny! Może powinniśmy zatelefonować do mamusi.

Ale panna Cap nie chciała nawet o tym słyszeć.

— Nie ma mowy! Pani Svantesson potrzebuje spokoju i odpoczynku. Pamiętaj, że też jest chora. Na pewno go dopilnuję.

Skinęła głową w kierunku Braciszka, który stał zapłakany przy łóżku Bettan.

Potem nie było już czasu na rozmowę, ponieważ przyjechała karetka pogotowia i zabrano Bosse i Bettan. Braciszek płakał. Naturalnie czasami złościł się na swoje rodzeństwo, ale przecież tak bardzo kochał oboje. To było naprawdę smutne, że musieli iść do szpitala.

— Do widzenia, Braciszku — powiedział Bosse, gdy wynosiło go dwóch mężczyzn z pogotowia.

— Żegnaj, kochany malutki, nie bądź smutny! Wkrótce przecież wrócimy do domu — pocieszyła go Bettan.

Braciszek zaniósł się szlochem.

— Tak myślisz? A jeśli umrzecie?

Później panna Cap zwymyślała go... Jak może być tak głupim i myśleć, że ludzie umierają na szkarlatynę!

Wtedy Braciszek poszedł do swojego pokoju. Tu przynajmniej miał Bimba.

— Teraz mam tylko ciebie — stwierdził Braciszek i objął Bimba. — No i Karlssona oczywiście.

Bimbo świetnie rozumiał, że Braciszek jest smutny. Lizał go po twarzy, zupełnie jakby chciał powiedzieć:

— Tak, masz przecież mnie. I Karlssona!

Dłuższą chwilę Braciszek siedział i czuł, jak to cudownie, że istnieje Bimbo. Mimo to właśnie wtedy ogarnęła go ogromna tęsknota za mamusią. Przypomniał sobie, że przyrzekł pisać do niej, i postanowił zrobić to teraz, natychmiast.

Kochana mamusiu — napisał. — *Wygląda na to, że mało brakóje, a ta rodzina skończy się zópełnie Bosse i Bettan mają szalatynę i są na zakaźnym a ja jestem izolowany. To nie boli ale dostanę pewno tesz szalatynę i ja i tata jest w Londynie jeśli teraz żyje hociasz nie słyszałem rzeby był chry ale pewno jest chry bo fszyscy inni są chrzy. Tęsknę do ciebie zresztą jak się czójesz i czy jesteś bardzo chra?*

Jest pewna sprawa o kturej bym ci powiedział ale nie zrobię tego bo zrobisz się tylko niespokojna a ty potszebujesz spokoju i odpoczynku muwi Cap Domowy ona nie jest chra ani tesz Karlsson hociasz pewno wkrutce będą. Do widzenia kochana mamusiu, spoczywaj w pokoju!

– Więcej nie piszę – oznajmił Braciszek Bimbowi – bo nie chcę jej przestraszyć.

Potem podszedł do okna i zadzwonił po Karlssona. Tak, naprawdę zadzwonił. Karlsson bowiem poprzedniego wieczoru zrobił coś bardzo pomysłowego. Między swoim domkiem a pokojem Braciszka założył prawdziwą instalację dźwiękową.

– Nie można latać i straszyć na chybił trafił – powiedział Karlsson. – Ale teraz zrobiłem najlepszą na świecie instalację dźwiękową, tak że możesz zadzwonić i zamówić straszenie właśnie wtedy, gdy Cap Domowy siedzi w jakimś odpowiednim miejscu i wypatruje w nocy mnie małego i strasznego.

Instalacja dźwiękowa składała się z dzwonka, jaki wiesza się na szyi krowy, umieszczonego pod kalenicą domku Karlssona, i ze sznurka, który prowadził od kalenicy do okna Braciszka.

– Pociągniesz za sznurek – wyjaśniał Karlsson – to u mnie na górze zadzwoni dzwonek, a wtedy bach! przyleci Duszek z Vasastan i Cap Domowy z hukiem rymnie na podłogę. Czy to nie cudowne?

Oczywiście, to było cudowne, Braciszek też tak uważał. Nie tylko ze względu na strachy. Przedtem mógł siedzieć i czekać, i czekać, aż Karlssonowi spodoba się go odwiedzić. Teraz mógł zadzwonić po niego, kiedy czuł, że musi z nim porozmawiać.

A właśnie teraz Braciszek poczuł, że musi porozmawiać z Karlssonem. Pociągał i szarpał sznurek i słyszał, jak krowi dzwonek dzwonił i dzwonił na dachu. Wkrótce usłyszał warkot motorka, a przez okno wleciał zaspany i dość burkliwy Karlsson.

– Sądzisz, że ma to być pewien rodzaj budzika? – spytał szorstko.

– Och, przepraszam – powiedział Braciszek. – Spałeś?

– Trzeba było o to zapytać, zanim mnie obudziłeś. Ty, co śpisz ciągle jak jakieś prosię, nie wiesz, że my, biedacy, niemal nigdy nie możemy zmrużyć oka. A kiedy raz uda nam się zapaść w drzemkę, o, wtedy możemy przecież oczekiwać, że przyjaciele będą w całkowitej ciszy wstrzymywać oddech, zamiast szarpać dzwonki, jakby się paliło.

– Tak źle sypiasz? – spytał Braciszek.

Karlsson ponuro skinął głową.

– Tak, wiedz, że tak.

Braciszkowi zrobiło się żal Karlssona.

– Tak mi cię szkoda... naprawdę masz taki marny sen?

– Fatalny – powiedział Karlsson. – To znaczy w nocy śpię jak kamień i przed południem też, najgorzej jest po południu, wtedy tylko leżę i wiercę się.

Chwilę stał cicho, jakby zasmucony swoją bezsennością, ale potem rozejrzał się bystro po pokoju.

– Gdybym dostał jakiś mały prezencik, to może nie byłbym taki zmartwiony tym, że mnie obudziłeś.

Braciszek nie chciał, żeby Karlsson był zmartwiony, i zaczął szukać czegoś wśród swoich rzeczy.

— Moja harmonijka ustna, chciałbyś ją?

Karlsson chwycił harmonijkę ustną.

— Tak, zawsze pragnąłem mieć instrument muzyczny, tak, dziękuję, wezmę ją... bo pewnie nie masz skrzypiec?

Przytknął harmonijkę do ust i wydał kilka niesamowitych dźwięków. Potem spojrzał na Braciszka roziskrzonymi oczami.

— Słyszałeś? Natychmiast zagrałem melodię. Nazywa się „Skarga Duszka".

Wtedy Braciszek przyznał, że w tym domu, gdzie wszyscy są chorzy, dobrze brzmią żałosne pieśni, i opowiedział Karlssonowi o szkarlatynie.

— Pomyśl, jak szkoda Bosse i Bettan — powiedział Braciszek.

Ale Karlsson odrzekł, że szkarlatyna to zwykła rzecz, i nie ma się czym przejmować. Zresztą to nawet dobrze, że Bosse i Bettan są w zakaźnym, kiedy rozpoczyna się wielkie straszenie.

Nagle Braciszek aż podskoczył z przerażenia. Usłyszał kroki panny Cap i zrozumiał, że w każdej sekundzie może wejść do jego pokoju. Karlsson też pojął, że trzeba się śpieszyć. Rzucił się na podłogę, aż klasnęło, i poturlał pod łóżko Braciszka jak mały kłębek. Braciszek szybko usiadł na łóżku, a na kolanach rozpostarł swój płaszcz kąpielowy, tak żeby zwisał i zasłonił Karlssona najlepiej jak się da.

W tej samej chwili drzwi otworzyły się i weszła panna Cap ze szczotką i szufelką w ręce.

— Chciałam tu posprzątać — powiedziała. — Idź stąd i posiedź tymczasem w kuchni.

Braciszek tak się zdenerwował, że zaczął się pocić.

— Nie, nie chcę — odparł. — Będę tu siedział i będę izolowany.

Panna Cap spojrzała na niego ze złością.

— Wiesz, co jest pod twoim łóżkiem? — spytała.

Braciszek poczerwieniał... czyżby rzeczywiście zobaczyła Karlssona?

— Nic... nic nie ma pod moim łóżkiem.

— A wyobraź sobie, że jest — stwierdziła panna Cap. — Jest tam pełno wielkich kłaków kurzu, które zamierzam wymieść. Odsuń się!

— Nie, będę tu siedział i będę izolowany! — krzyknął.

Wtedy panna Cap, mrucząc coś pod nosem, zaczęła zamiatać w drugim końcu pokoju.

— To siedź tam sobie, póki nie skończę tutaj! Ale potem zechcesz być tak dobry i izolować się w innym kącie, ty uparte dziecko!

Braciszek gryzł paznokcie i rozmyślał. Och, co teraz zrobić? Nagle drgnął i zaczął chichotać. To Karlsson łaskotał go pod kolanami, a Braciszek był bardzo wrażliwy na łaskotki.

Panna Cap świdrowała go wzrokiem.

— Tak, tak, śmiejesz się, chociaż zarówno matka, jak i rodzeństwo leżą chorzy i cierpią! Tak, wydaje się, że niektórzy szybko się pocieszają.

Braciszek znów poczuł, że Karlsson łaskocze go pod kolanami, i tak się rozchichotał, że omal nie spadł z łóżka.

— Można wiedzieć, co cię tak rozśmieszyło? — spytała panna Cap kwaśno.

— Hi, hi! — odezwał się Braciszek. — Przyszła mi na myśl wesoła historia...

Starał się gorączkowo przypomnieć sobie jakąś śmieszną historyjkę.

— Ta o byku, który polował na konia, a wtedy koń tak się przestraszył, że wlazł na drzewo. Słyszała pani o tym?

Bosse zwykle opowiadał tę historyjkę, ale Braciszek nigdy się z niej nie śmiał, bo żal mu było tego biednego konia, który musiał włazić na drzewo.

Panna Cap wcale się nie roześmiała.

— Nie opowiadaj jakichś starych głupich dowcipów. Chyba dobrze wiesz, że konie nie mogą włazić na drzewa.

— Nie, tego nie mogą — odparł Braciszek, dokładnie tak, jak zwykle mówił Bosse. — Ale za nim biegł rozwścieczony byk, to co, do jasnej choroby, miał zrobić koń!

Bosse mówił, że można powiedzieć „do jasnej choroby", kiedy opowiada się historię, w której występuje „jasna choroba". Ale panna Cap była innego zdania. Wpatrzyła się w niego ze wstrętem.

— Siedzisz tu i śmiejesz się, i przeklinasz, podczas gdy matka i rodzeństwo leżą chorzy i cierpią. Muszę przyznać, że jestem zdziwiona...

W tym właśnie momencie musiała przerwać. Od strony łóżka nagle doleciała „Skarga Duszka". Tylko kilka krótkich, przejmujących dźwięków, ale wystarczyły, żeby panna Cap podskoczyła.

— Na miłość boską, co to było?

— Nie mam pojęcia — odparł Braciszek.

Ale panna Cap dobrze wiedziała!

— To były dźwięki z tamtego świata, na pewno.

— Z tamtego świata... co to znaczy? — spytał Braciszek.

— Ze świata duchów — wyjaśniła panna Cap. — W tym pokoju jesteśmy tylko ty i ja i żadne z nas nie może wydać takich dźwięków. To nie był głos ludzki, to był głos ducha. Nie słyszałeś?... To brzmiało zupełnie jak jęk potępionej duszy!

Patrzyła na Braciszka wytrzeszczonymi oczami.

— Święty Mojżeszu, teraz muszę napisać do tych z telewizji.

Odrzuciła szczotkę i szufelkę i usiadła przy biurku Braciszka. Znalazła tam papier i pióro. Przez dłuższą chwilę pisała zawzięcie. Potem przeczytała Braciszkowi.

— Posłuchaj!

Do Szwedzkiego Radia i Telewizji. Moja siostra, Frida Cap, wystąpiła w waszym programie o duchach i strachach. Nie uważałam, żeby to był dobry program, a Frida może sobie myśleć, co chce. Program ma być lepszy i tak może się stać. Bo teraz ja osobiście wylądowałam w takim domu, gdzie naprawdę straszy, i tu macie spis moich historii z duchami.

1. Dziwny ryk rozległ się za oknem i to nie była żadna krowa, bo mieszkamy na czwartym piętrze, i samo tylko ryczało.

2. Różne rzeczy znikają tajemniczo, na przykład bułki i mali zamknięci chłopcy.

3. Drzwi zamykają się od zewnątrz, gdy ja jestem w środku, wytłumaczcie to, jeśli potraficie!

4. Straszny napis zrobiony przez ducha na ścianie w kuchni.

5. Nagle smutna muzyka podczas sprzątania. Chciało się od niej tylko płakać.

Przyjeżdżajcie tu natychmiast, bo z tego może być program, o którym będzie się mówić.

Z poważaniem
Hildur Cap

PS Jak wpadliście na pomysł, żeby wziąć do telewizji właśnie Fridę?

Potem panna Cap pełna zapału wybiegła, żeby wrzucić list do skrzynki. Braciszek zerknął na Karlssona. Leżał on pod łóżkiem z błyszczącymi oczami, ale zaraz wylazł, wesoły i zadowolony.

— Hoj! — wykrzyknął. — Poczekaj tylko do wieczoru, kiedy zrobi się ciemno, wtedy Cap Domowy będzie naprawdę miał o czym napisać do telewizji.

Braciszek zaczął znów chichotać i obrzucił Karlssona ciepłym spojrzeniem.

— Zabawnie jest być izolowanym, pod warunkiem, że się jest izolowanym razem z tobą — powiedział.

Przez króciutką chwilkę pomyślał o Kristerze i Gunilli, z którymi zwykle się bawił. Właściwie powinno mu być smutno, że przez pewien czas nie będzie mógł się z nimi spotykać.

„Ale o wiele weselej jest bawić się z Karlssonem" — pomyślał Braciszek.

Chociaż akurat teraz Karlsson nie miał czasu się bawić. Powiedział, że musi lecieć do domu naprawić tłumik.

— To na nic, jeśli Duszek z Vasastan pojawi się, dudniąc jak latająca beczka, chyba sam rozumiesz. Nie, powinno być cicho i upiornie, i strasznie, tak żeby kudły stanęły dęba Capowi Domowemu.

Potem Braciszek i Karlsson ustalili system sygnalizacji dźwiękowej.

— Jeśli zadzwonisz jeden raz — powiedział Karlsson — to znaczy: „Przyjdź tu natychmiast", jeśli zadzwonisz dwa razy, to znaczy: „Tylko tu nie przychodź", a trzy razy oznacza: „Pomyśl, że istnieje na świecie ktoś tak przystojny i niezwykle rozumny, i w miarę tęgi, i dzielny, i doskonały pod każdym względem, jak ty, Karlssonie".

— Dlaczego mam o tym dzwonić? — zapytał Braciszek.

— Bo swoim przyjaciołom trzeba mówić uprzejme i podnoszące na duchu słowa mniej więcej co pięć minut, a nie mogę latać tu tak często, chyba to rozumiesz.

Braciszek z zadumą spojrzał na Karlssona.

— Ja jestem twoim przyjacielem, tak? A ty nigdy mi czegoś takiego nie powiedziałeś.

Wtedy Karlsson roześmiał się.

— Jest chyba różnica, u licha. Tobie? Ty jesteś przecież tylko małym, głupim chłopcem!

Braciszek kiwnął głową. Wiedział, że Karlsson ma rację.

– Ale mimo wszystko mnie lubisz?

– Tak, naprawdę cię lubię – zapewnił go Karlsson. – Sam nie wiem dlaczego, ale zazwyczaj rozmyślam o tym, gdy leżę w bezsenne popołudnia.

Pogłaskał Braciszka po policzku.

– Jasne, że cię lubię z jakiegoś powodu... może dlatego, że jesteś tak różny ode mnie, biedne małe dziecko!

Podleciał do okna i pomachał na do widzenia.

– A jeśli zadzwonisz, jakby się paliło – powiedział – to znaczy, że się pali albo też: „Znów cię obudziłem, drogi Karlssonie, weź ze sobą wielką walizkę i przyleć, i zabierz wszystkie moje zabawki... daję ci je za to!".

Po chwili Karlsson zniknął.

Bimbo rzucił się na podłogę przed Braciszkiem i walił ogonem w dywan, aż się rozlegało. W taki sposób okazywał, że naprawdę się cieszy z czyjejś obecności i chce zwrócić na siebie uwagę. Braciszek położył się na podłodze obok niego. Wtedy Bimbo zerwał się i zaczął szczekać z radości. Potem skulił się przy ramieniu Braciszka i przymknął oczy.

– Twoim zdaniem to dobrze, że nie chodzę do szkoły, zostaję w domu i jestem izolowany – odezwał się Braciszek. – Bimbo, ty na pewno myślisz, że jestem najlepszy na świecie.

Duszek z Vasastan

Braciszek spędził długi, samotny dzień i serdecznie pragnął, żeby nastał już wieczór. Czuł się tak podniecony jak przed Wigilią. Bawił się z Bimbem i oglądał znaczki, i uczył się trochę rachunków, żeby nie zostać w tyle za kolegami z klasy. A kiedy doszedł do wniosku, że Krister już wrócił ze szkoły do domu, zatelefonował do niego i opowiedział o szkarlatynie.

— Nie mogę chodzić do budy, bo jestem izolowany, rozumiesz?

„To zabrzmiało całkiem dobrze" — pomyślał, i na pewno Krister też tak uważał, bo zamilkł.

— Możesz powiedzieć o tym Gunilli — zaproponował Braciszek.

— Czy nie nudzi ci się? — spytał Krister, gdy już odzyskał mowę.

— Ależ skąd — odparł Braciszek. — Mam przecież...

W tym momencie zamilkł. Chciał powiedzieć „Karlssona", lecz nie mógł ze względu na tatusia. Co prawda w zeszłym roku wiosną Krister i Gunilla spotkali Karlssona wiele razy, ale to było, zanim tatuś przykazał mu, żeby nikomu nie mówił o Karlssonie. Do tego czasu Krister i Gunilla chyba już o nim zapomnieli. To bardzo dobrze, zdaniem Braciszka.

„Bo teraz on stał się moim własnym t a j n y m Karlssonem" — pomyślał. Pośpiesznie pożegnał się z Kristerem:

— Cześć! Muszę już kończyć.

W ponurym nastroju jadł obiad z panną Cap, chociaż zrobiła rzeczywiście smaczne klopsiki. Braciszek zjadł ich wiele. Na deser dostał szarlotkę z sosem waniliowym. Wtedy zaczął podejrzewać, że może panna Cap nie jest wcale tak beznadziejna.

„Najlepsza u Capa Domowego jest szarlotka — pomyślał Braciszek — a najlepszy w szarlotce jest sos waniliowy, a najlepsze w sosie waniliowym jest to, że właśnie ja go jem".

Ale i tak nie był to miły obiad, gdyż tyle miejsc było pustych. Braciszek tęsknił za mamusią i tatusiem, i Bossem, i Bettan, za wszystkimi po kolei. To było przykre uczucie, poza tym panna Cap cały czas mówiła o Fridzie i Braciszek był już nią dość zmęczony.

Wreszcie nadszedł wieczór. Była jesień i wcześnie robiło się ciemno. Braciszek stał przy swoim oknie pobladły z napięcia i patrzył na gwiazdy świecące nad dachami domów. Czekał. To czekanie było chyba jeszcze gorsze niż w wieczór wigilijny. Wtedy czeka się tylko na Świętego Mikołaja, a czym to było w porównaniu z Duszkiem z Vasastan... niczym! Braciszek nerwowo obgryzał paznokcie. Wiedział, że gdzieś tam w górze Karlsson także czeka. Panna Cap siedzi w kuchni ze stopami w wanience z wodą. Jak zwykle wieczorem moczy nogi, ale potem przyjdzie powiedzieć Braciszkowi dobranoc, przyrzekła to. Wtedy będzie pora, by zadzwonić do Karlssona. A potem... Święty Mojżeszu, jak zwykła mówić panna Cap... Święty Mojżeszu, jakie to było podniecające!

— Jeśli ona zaraz nie nadejdzie, to chyba pęknę — wymruczał Braciszek.

W tej samej chwili panna Cap na dużych, świeżo umytych stopach weszła boso do pokoju, a Braciszek rzucił się jak mała rybka, tak się przestraszył, choć przecież na nią czekał i wiedział, że niebawem przyjdzie.

Panna Cap spojrzała na niego gniewnie.

— Dlaczego stoisz w otwartym oknie w samej piżamie? Kładź się!

— Ja... ja tylko patrzę na gwiazdy — wyjąkał Braciszek.

— Może pani też na nie popatrzy?

Powiedział to, by zwabić ją do okna. Jednocześnie niepostrzeżenie wsunął rękę za firankę i szarpnął silnie sznurek. Słyszał, że na dachu rozległ się dzwonek. Panna Cap również go usłyszała.

— Słyszę dźwięk dzwonka w przestworzach — powiedziała. — Trochę dziwne!

— Tak, to dziwne — przyznał Braciszek.

Potem wstrzymał oddech, gdyż z dachu lotem ślizgowym zbliżał się, płynąc w powietrzu, biały i dość okrągły mały duch. Towarzyszyła mu muzyka. Dźwięki brzmiały bardzo cicho i bardzo żałośnie, ale nie można było mieć wątpliwości, że to „Skarga Duszka".

— Tam... O, spójrz tam... O święty Mojżeszu! — odezwała się panna Cap. Miała kredowobiałą twarz i musiała usiąść na krześle. I to ona mówiła, że wcale nie boi się duchów!

Braciszek próbował ją uspokoić.

— Tak, teraz też zaczynam wierzyć, że tu straszy — powiedział. — Ale taki mały duch chyba nie jest groźny.

Panna Cap nie słuchała go. Wytrzeszczonymi dziko oczami patrzyła przez okno, za którym duch rozpoczął lotnicze popisy.

— Zabierz go! Zabierz go! — dyszała.

Duszka z Vasastan nie można było jednak zabrać. Latał tam i z powrotem, wznosił się i opadał, a od czasu do czasu robił w powietrzu beczki. Ale nawet podczas wykonywania beczki nie milkła żałosna muzyka.

Braciszek uważał, że był to naprawdę piękny i nastrojowy widok, ten biały mały duch, ciemne rozgwieżdżone niebo i ta żałosna muzyka. Ale panna Cap tak nie uważała. Chwyciła Braciszka.

— Biegnijmy do sypialni i schowajmy się tam!

Mieszkanie rodziny Svantessonów składało się z pięciu pokoi, kuchni, holu i łazienki. Bosse, Bettan i Braciszek mieli każde swój mały pokój, mamusia i tatuś mieli sypialnię, i był jeszcze duży pokój dzienny. Teraz, kiedy mamusia i tatuś wyjechali, panna Cap mieszkała w sypialni, której okna wychodziły na ogród. Pokój Braciszka mieścił się od strony ulicy.

— Chodź! — wydyszała panna Cap. — Chodź! Schowamy się w sypialni!

Braciszek opierał się. Nie będą przecież uciekać przed duchem, kiedy zabawa właśnie dopiero się zaczęła! Ale panna Cap nie ustępowała.

— Pośpiesz się, zanim padnę z hukiem!

I chociaż Braciszek nie chciał, pozwolił się zaciągnąć do sypialni. Tam również okno było otwarte, ale panna Cap rzuciła się ku niemu i z trzaskiem je zamknęła. Spuściła rolety i bardzo dokładnie zaciągnęła zasłony. Potem zaczęła tarasować drzwi meblami. Było jasne, że już nigdy w życiu nie chce widzieć żadnych duchów. Braciszek nie rozumiał dlaczego, przedtem była przecież tak podniecona strachami. Siedział na łóżku tatusia, patrzył, jak się męczyła, i pokręcił głową.

— Frida chyba nie byłaby taka wystraszona — powiedział.

Ale w tej właśnie chwili panna Cap nie chciała słuchać niczego o Fridzie. Przesuwała meble: komodę, stół i wszystkie krzesła, i etażerkę. Przed drzwiami powstała prawdziwa barykada.

— No właśnie — powiedziała panna Cap głosem, w którym brzmiało zadowolenie. — Myślę, że teraz możemy być spokojni.

Wtedy spod łóżka tatusia dobiegł ich głuchy głos, w którym brzmiało jeszczc większc zadowolenie:

— No właśnie! Myślę, że teraz możemy być spokojni! Teraz jesteśmy zamknięci na noc!

I Duszek uniósł się w górę, tak że aż gwizdnęło.

— Na pomoc! — krzyknęła panna Cap. — Pomocy!

— W czym? — spytał duch. — Taszczyć meble, tak? Nie jest się żadnym bagażowym!

Duch śmiał się długo i głucho. Ale panna Cap nie. Rzuciła się do drzwi i zaczęła odsuwać meble, aż krzesła wirowały. Wkrótce rozwaliła barykadę i z głośnym krzykiem wypadła do holu.

Duch leciał za nią. Braciszek pobiegł także. Ostatni pędził Bimbo, dziko ujadając. Poznał ducha po zapachu i sądził, że to wesoła zabawa. Oczywiście duch też tak uważał.

— Hoj, hoj! — krzyczał i furkotał koło uszu panny Cap. Ale chwilami pozwalał jej się wyprzedzić, żeby gonitwa była bardziej podniecająca. Biegli tak przez całe mieszkanie, najpierw panna Cap, a za nią Braciszek, do kuchni i z kuchni, do pokoju dziennego i z pokoju dziennego, do pokoju Braciszka i z pokoju Braciszka, dookoła i znów dookoła!

Panna Cap wrzeszczała i krzyczała cały czas, aż w końcu duch spróbował ją uspokoić.

— No, no! Nie wyj tak! Teraz, gdy nam tak wesoło!

Ale to nie pomogło. Panna Cap nadal darła się, pędząc znów do kuchni. Na podłodze stała wanienka pełna wody, pozostawiona tam przez pannę Cap po moczeniu nóg. Duch następował jej na pięty.

— Hoj, hoj! — krzyknął jej prosto do ucha i panna Cap potknęła się o wanienkę i wywróciła z hałasem. Wtedy zawyła jak syrena przeciwmgłowa, a duch powiedział:

— Szszsz! Przestraszysz śmiertelnie zarówno mnie, jak i sąsiadów. Jeśli się nie uspokoisz, przyjedzie radiowóz policyjny.

Cała podłoga była zalana wodą, a na środku kuchni leżała panna Cap. Ale niesłychanie szybko podniosła się

na nogi i wybiegła z kuchni w mokrej kiecce, która kleiła jej się do nóg.

Duch nie mógł powstrzymać się od wykonania kilku podskoków w wanience, w której na dnie pozostało jeszcze trochę wody.

— Świetnie rozbryzguje się na ściany dookoła — powiedział do Braciszka. — I chyba wszyscy ludzie lubią potykać się o wanienkę z wodą. O co więc ona robi tyle krzyku?

Duch wykonał ostatni podskok i znów chciał gonić pannę Cap. Nie było jej widać, ale na podłodze w holu pozostały ślady mokrych stóp.

— Drałujący Cap Domowy — powiedział duch. — Tu są świeże ślady. A gdzie prowadzą, zaraz zobaczymy. Bo zgadnij, kto jest najlepszym na świecie tropicielem!

Ślady prowadziły do łazienki. Panna Cap zamknęła się tam i już z daleka słychać było jej triumfujący śmiech.

Duszek zaczął dobijać się do drzwi.

— Otwórz, mówię!

Z łazienki dobiegł wyzywający śmiech.

— Otwórz... inaczej się nie bawię! — krzyknął duch.

Panna Cap zamilkła, ale nie otworzyła. Wtedy duch zwrócił się do Braciszka, który stał zdyszany obok.

– Powiedz jej, żeby otworzyła! Wcale nie jest wesoło, jak ona się tak zachowuje!

Braciszek ostrożnie zapukał do drzwi.

– To tylko ja – powiedział. – Jak długo zamierza pani zostać w łazience?

– Całą noc, tego możesz być pewien – odparła panna Cap. – Wyścielę sobie wannę wszystkimi ręcznikami.

Wtedy duch poczuł się dotknięty do żywego.

– Tak, zrób to, do jasnej Anielki! Wszystko zepsujesz i już nie będzie ani trochę wesoło. Ale zgadnij, kto w takim razie zamierza polecieć i straszyć Fridę?

W łazience na dłuższą chwilę zapadła cisza. Panna Cap pewnie rozmyślała o tej strasznej wieści, którą usłyszała. W końcu odezwała się cichym, żałosnym i błagalnym głosem:

– Nie, nie rób tego! To... to byłoby dla mnie bardzo niemiłe!

– No to wychodź – powiedział duch. – Bo inaczej trasa prowadzi prosto na ulicę Frejgatan. A potem znów będziemy mieli Fridę w pudle telewizyjnym, to pewne.

Słychać było, że panna Cap wzdycha wiele razy. W końcu zawołała:

– Braciszku, przyłóż ucho do dziurki od klucza, chcę ci coś szepnąć!

Braciszek zrobił, jak prosiła. Przytknął ucho do dziurki od klucza, a panna Cap wyszeptała:

– Sądziłam, rozumiesz, że nie lękam się duchów, ale to nieprawda. Ty jesteś taki odważny. Czy nie mógłbyś poprosić tego strasznego stwora, żeby zniknął i przyszedł znów, kiedy zdążę się trochę przygotować? Ale musi przyrzec, że w tym czasie nie poleci do Fridy.

— Zobaczę, co da się zrobić — odparł Braciszek. Odwrócił się, żeby porozmawiać z duchem. Lecz ducha już nie było.

— Nie ma go! — krzyknął Braciszek. — Pewnie poleciał do siebie do domu. Proszę wyjść!

Panna Cap jednak nie odważyła się wyjść, dopóki Braciszek nie obszukał całego mieszkania i sprawdził, że żadnego ducha nie ma.

Potem panna Cap długo siedziała w pokoju Braciszka i drżała na całym ciele. Lecz powoli przyszła do siebie, i to na dobre.

— O, to było straszne — odezwała się. — Ale pomyśl, p o m y ś l, jaki to program będzie w telewizji! Frida nie przeżyła niczego, co można by z tym porównać.

Siedziała i cieszyła się jak dziecko. Tylko chwilami wstrząsał nią dreszcz grozy, gdy pomyślała o tym, jak duch na nią polował.

— Szczerze powiedziawszy, to starczy już tego straszenia — stwierdziła. — Muszę postarać się, aby nie widzieć więcej tego ancymonka!

Ledwo skończyła mówić, a z garderoby Braciszka dał się słyszeć głuchy ryk i to wystarczyło, aby panna Cap zaczęła znów krzyczeć:

— Słyszałeś?! Wspomnisz moje słowa, teraz mamy ducha w garderobie... O, ja chyba skonam!

Braciszkowi zrobiło się jej żal, ale nie wiedział, jak ją pocieszyć.

– O, nie – powiedział w końcu. – To na pewno nie duch... może to jakaś mała krowa... tak, miejmy nadzieję, że to mała krowa.

Ale w tym momencie dobiegł ich głos z garderoby:

– Mała krowa! Wyobraź sobie, że nie!

Drzwi garderoby otworzyły się i wyszedł z nich Duszek z Vasastan w białym kostiumie, który uszył Braciszek. Wydając z siebie raz po raz głuche westchnienia, wzbił się w powietrze i zaczął krążyć wokół lampy na suficie, zataczając małe kręgi.

– Hoj, hoj! Najgroźniejszy duch na świecie, a nie żadna mała krowa!

Panna Cap krzyczała. Duch latał dookoła i znów dookoła, coraz szybciej i szybciej, panna Cap krzyczała coraz głośniej i głośniej, duch stawał się coraz dzikszy i dzikszy.

Wtedy coś się wydarzyło. Duch wziął trochę za mały zakręt i nagle kostiumem zahaczył o szpic, który wystawał z lampy.

– Trzrzrz – doleciało ze starego, lichego prześcieradła, kostium sfrunął i zawisnął na szpicu, a dookoła lampy krążył Karlsson w swoich zwykłych niebieskich spodniach, koszuli w kratkę i skarpetkach w czerwone paski. Był tak zajęty, że nawet nie zauważył, co się stało. Latał i latał, i wzdychał, i stękał bardziej upiornie niż kiedykolwiek. Ale przy czwartym okrążeniu nagle rzuciło mu się w oczy to, co zwisało z lampy i powiewało, kiedy przelatywał obok.

– Co to za płachtę powiesiliście na lampie? – spytał. – Czy to jakaś pułapka na muchy?

Braciszek zdołał tylko jęknąć:

— Nie, Karlssonie, to nie jest pułapka na muchy.

Wtedy Karlsson spojrzał w dół na swoje pulchne ciało i zobaczył, co się stało. Zobaczył swoje niebieskie spodnie, zobaczył, że nie jest już Duszkiem z Vasastan, tylko Karlssonem.

Wylądował przed Braciszkiem z cichym plaśnięciem.

— No, tak — powiedział. — Nieszczęście może przytrafić się najlepszemu, właśnie mieliśmy tego przykład... no tak, w każdym razie to zwykła rzecz!

Panna Cap siedziała pobladła z wytrzeszczonymi oczami. Łapała powietrze jak ryba wyjęta z wody. W końcu jednak udało jej się wydobyć z siebie kilka słów:

— Kto... kto... O święty Mojżeszu, kto to jest?

Braciszek powiedział drżącym głosem:

— To jest Karlsson z Dachu.

— A kim — wydyszała panna Cap — kim jest Karlsson z dachu?

Karlsson ukłonił się.

— Przystojnym, niesłychanie mądrym, w miarę tęgim mężczyzną w najlepszych latach... Wyobraź sobie, że to jestem ja!

Karlsson nie jest żadnym duchem, tylko Karlssonem

Nastał wieczór, który Braciszek będzie pamiętał do końca życia. Panna Cap siedziała na krześle i płakała, a Karlsson stał trochę dalej i wyglądał prawie na zawstydzonego. Nikt nic nie mówił, wszystko wypadło fatalnie.

„To jest to, od czego robią się zmarszczki na czole" — pomyślał Braciszek, bo tak mawiała czasami mamusia. Kiedy Bosse przyniósł trzy dwóje albo kiedy Bettan marudziła, że chce mieć krótki kożuszek, właśnie gdy tatuś musiał zapłacić za telewizor, albo kiedy Braciszek rzucił kamieniem na boisku szkolnym i wybił szybę w oknie, wtedy mamusia wzdychała i mówiła: „To jest to, od czego ma się zmarszczki na czole!".

Dokładnie to czuł Braciszek właśnie teraz. Ech, jakie to wszystko było nieprzyjemne! Panna Cap płakała, aż tryskało. I dlaczego? Tylko dlatego, że Karlsson nie był duchem.

— Licho wzięło mój program o duchach! — burknęła i ze złością wlepiła oczy w Karlssona. — A specjalnie poszłam do Fridy, żeby jej powiedzieć...

Ukryła twarz w dłoniach i rozpłakała się tak, że nikt nie zdołał usłyszeć, co powiedziała Fridzie.

— Ale przecież jestem przystojnym i niesłychanie mądrym, i w miarę tęgim mężczyzną w swych najlepszych latach — próbował pocieszyć ją Karlsson. — Może mam przyjść i być w tym pudle... z jakąś ładną panieneczką albo z kimś innym!

Panna Cap odjęła ręce od twarzy, spojrzała na Karlssona i prychnęła:

— Przystojny i nadzwyczaj mądry, i w miarę tęgi mężczyzna! I takie coś miałoby się targać do telewizji? Takich mają tam pełno!

Spojrzała na Karlssona ze złością i podejrzliwie... Ten mały grubas chyba był chłopcem, chociaż wyglądał jak mały staruszek. Zwróciła się do Braciszka:

— A właściwie co to za figura?

— To mój kolega do zabawy — odpowiedział Braciszek i była to prawda.

— Mogłam się domyślić — powiedziała panna Cap.

Potem znów się rozpłakała. Braciszek osłupiał. Mamusia i tatuś wyobrażali sobie, że jeśli tylko ktoś zobaczy Karlssona, to życie stanie się potworne, bo przybiegnie dużo ludzi i będą chcieli pokazywać go w telewizji. A jedyna, która naprawdę go z o b a c z y ł a, płakała i uważała, że Karlsson nic nie jest wart, ponieważ nie jest duchem. A że ma śmigło i może latać, wcale jej nie zaimponowało. Karlsson właśnie wzbił się w górę, żeby zdjąć z lampy kostium ducha, ale panna Cap popatrzyła na niego z większą jeszcze złością niż przedtem i powiedziała zgryźliwie:

— Te dzisiejsze dzieci mają motorki i wihajstry, i sama już nie wiem co! Niedługo pewnie będą latać na księżyc, jeszcze zanim zaczną chodzić do szkoły!

Siedziała i stawała się coraz bardziej wściekła, bo zrozumiała, kto zwędził bułeczki i ryczał za oknem, i wyko-

nał tajemniczy napis na ścianie w kuchni. Że też dają dzieciom takie aparaty, dzięki którym mogą one latać, gdzie chcą, i natrząsać się ze starszych ludzi! Wszystko, o czym napisała do Szwedzkiego Radia, to nic innego, tylko chłopięce psikusy! Już nie była w stanie patrzeć na tego małego tłustego nicponia.

– Wynoś się stąd, ty... jak ci tam!

– Karlsson – odparł Karlsson.

– To już wiem! – powiedziała rozjuszona panna Cap.

– Ale masz też chyba jakieś imię?

– Mam Karlsson na imię i Karlsson na nazwisko – wyjaśnił Karlsson.

– Nie drażnij mnie, bo i tak już jestem zła – powiedziała panna Cap. – Imię to jest to, jak się na człowieka mówi, nie wiesz tego? Jak cię nazywa twój tata, kiedy cię woła?

– Nicpoń – odparł Karlsson z zadowoleniem.

Panna Cap przytaknęła głową.

– To powiedział prawdę, ten twój tata!

Karlsson zgodził się z nią.

– Tak, tak, w dzieciństwie człowiek był prawdziwym nicponiem! Ale to było dawno temu, obecnie jest się najmilszym na świecie!

Panna Cap już go nie słuchała. Siedziała w milczeniu, rozmyślała i powoli się uspokajała.

– No tak – powiedziała w końcu. – Wiem tylko, że jedna osoba ucieszy się z tego wszystkiego!

– Kto taki? – spytał Braciszek.

– Frida – odparła panna Cap z goryczą. Potem z westchnieniem zniknęła w kuchni, żeby zetrzeć wodę z podłogi i schować wanienkę.

Karlsson i Braciszek stwierdzili, że przyjemnie zostać samym.

– Jak to ludzie awanturują się o byle co – powiedział Karlsson i wzruszył ramionami. – Chyba nic złego jej nie zrobiłem?

– Nie – odparł Braciszek. – Tylko może ją trochę potirrytowałeś. Ale teraz musimy być mili.

Karlsson też tak uważał.

– Oczywiście, że będziemy mili! Ja jestem z a w s z e najmilszy na świecie. Ale chcę, żeby było wesoło, inaczej się nie bawię.

Braciszek zastanawiał się, jak wymyślić coś wesołego dla Karlssona. Ale Karlsson go uprzedził. Rzucił się do garderoby Braciszka.

– Poczekaj, widziałem tu śmieszną rzecz, kiedy byłem duchem.

Wyszedł, trzymając w dłoni pułapkę na myszy. Braciszek znalazł ją u babci na wsi i przywiózł do domu.

– Bo chciałbym złowić mysz i oswoić ją, żeby była moja – wyjaśnił mamusi.

Ale mamusia powiedziała, że w domach w mieście, dzięki Bogu, nie ma żadnych myszy, przynajmniej u nich. Braciszek powtórzył to Karlssonowi, lecz Karlsson odparł:

– Może przyjść jedna mysz, o której nikt nie wie. Mała myszka–niespodzianka, która zakradnie się tu tylko po to, żeby zrobić przyjemność twojej mamie.

Wytłumaczył Braciszkowi, jakby to było dobrze, gdyby udało się złapać tę myszkę–niespodziankę, bo wtedy Karlsson mógłby trzymać ją w swoim domku na dachu, a gdyby miała dzieci, to z czasem powstałaby mysia farma.

— A wtedy dam ogłoszenie do gazety — powiedział Karlsson. — „Potrzebujecie myszy, skontaktujcie się natychmiast z mysią farmą Karlssona!"

— Tak, a wtedy może będą myszy także w domach — ucieszył się Braciszek. Pokazał Karlssonowi, jak nastawia się pułapkę.

— Ale w pułapce musi być kawałek sera albo skórka od słoniny, inaczej żadna mysz nie przyjdzie.

Karlsson włożył rękę do kieszeni spodni i wyciągnął kawałeczek skórki od słoniny.

— Jak dobrze, że zostawiłem ją z obiadu, chociaż początkowo chciałem wyrzucić do zsypu.

Założył skórkę od słoniny i nastawił pułapkę, po czym wsunął ją pod łóżko Braciszka.

— Gotowe! Teraz mysz może sobie przyjść, kiedy tylko zechce.

Bawiąc się, prawie zapomnieli o pannie Cap. Nagle z kuchni dobiegł ich brzęk.

— Hałasuje patelniami, jakby szykowała jedzenie — stwierdził Karlsson.

I miał rację. Wkrótce z kuchni doleciał słaby, ale bardzo smakowity zapach klopsików.

— Odgrzewa klopsiki, które zostały z obiadu — powiedział Braciszek. — Och, jaki jestem głodny!

Karlsson rzucił się do drzwi.

— Biegiem do kuchni! — krzyknął.

Zdaniem Braciszka Karlsson był naprawdę odważny, że ośmielił się tam iść, ale i on nie chciał być gorszy. Ostrożnie poszedł za nim.

Karlsson był już w kuchni.

– Hoj, hoj! Przypuszczam, że przychodzimy w samą porę na małą kolacyjkę.

Panna Cap stała przy kuchni i potrząsała patelnią pełną klopsików, ale natychmiast odłożyła ją i ruszyła w kierunku Karlssona ze złą i groźną twarzą.

– Wynocha! – krzyknęła. – Precz stąd, precz!

Wtedy Karlsson wygiął usta w podkówkę i nadąsał się.

– Ja się nie bawię, jak ty będziesz taka nieprzyjemna. Ja też chcę kilka klopsików. Nie rozumiesz, że człowiek robi się głodny od latania i straszenia przez cały wieczór?

Wykonał skok w kierunku pieca i porwał klopsik z patelni. Ale tego nie powinien robić. Panna Cap ryknęła i rzuciła się na niego. Złapała go za kark i wyrzuciła przez kuchenne drzwi.

– Wynocha! – krzyknęła. – Idź do domu i nie pokazuj tu więcej nosa!

Braciszek aż tryskał złością i rozpaczą... Jak ktoś może tak postępować z jego kochanym Karlssonem?!

– Fuj, jaka pani niedobra! – zawołał bliski płaczu. – Karlsson jest moim kolegą do zabawy i oczywiście może tu przychodzić.

Więcej nie zdążył powiedzieć, bo drzwi kuchenne otworzyły się. Wlazł przez nie Karlsson zły jak osa, tak, on też.

– Ja się nie bawię! – krzyknął. – Ja się nie bawię w ten sposób! Wyrzucać mnie przez kuchnię... tak to się nie bawię!

Podbiegł do panny Cap i tupnął.

– Kuchenne drzwi, a fuj... ja chcę być wyrzucany przez przedpokój, jak ludzie z towarzystwa!

Panna Cap ponownie chwyciła Karlssona za kark.

— Bardzo chętnie — powiedziała i chociaż Braciszek biegł za nią i płakał, i protestował, powlokła Karlssona przez całe mieszkanie i wyrzuciła go przez drzwi od przedpokoju, jak chciał.

— No? — spytała. — Wystarczy? Teraz dobrze?

— Tak, teraz dobrze — odparł Karlsson, a wtedy panna Cap zatrzasnęła za nim drzwi, aż huknęło na cały dom.

— Wreszcie — powiedziała i ruszyła znów do kuchni.

Braciszek biegł za nią i krzyczał:

— Fuj, jaka pani niedobra i niesprawiedliwa! Karlsson oczywiście może być w kuchni!

I był! Gdy panna Cap i Braciszek weszli, Karlsson stał przy piecu i zajadał klopsiki.

— Tak, bo ja chcę być wyrzucany przez drzwi frontowe — wyjaśnił. — Żebym mógł wejść przez drzwi kuchenne i zjeść kilka smacznych klopsików.

Wtedy panna Cap złapała go za kark i wyrzuciła po raz trzeci, tym razem przez drzwi kuchenne.

— To niesłychane — powiedziała. — Taka uprzykrzona mucha... ale jeśli zamknę drzwi na klucz, to może mi się uda ciebie pozbyć.

— To się zobaczy — odpowiedział Karlsson łagodnie. Drzwi znów trzasnęły za nim i panna Cap sprawdziła, czy są dokładnie zamknięte.

— Fuj, jaka pani niedobra! — zawołał Braciszek. Ale go nie słuchała. Poszła prosto do kuchni, na której stała patelnia, a na niej wspaniale skwierczały klopsiki.

— Może wreszcie zjem sobie klopsika, po tym wszystkim, co przeszłam dziś wieczorem — powiedziała.

Wtedy od strony otwartego okna rozległ się głos:

— Dobry wieczór temu domkowi. Czy jest ktoś w domu? A może zostały jakieś klopsiki?

Na parapecie siedział radośnie uśmiechnięty Karlsson. Braciszek wybuchnął śmiechem.

— Przyleciałeś z balkonu do trzepania?

Karlsson skinął głową.

— Właśnie. A więc znów tu jestem, chyba się cieszycie... szczególnie ty, tam przy kuchni!

Panna Cap stała z klopsikiem w dłoni. Zamierzała włożyć go do ust, ale gdy ujrzała Karlssona, znieruchomiała i wytrzeszczyła oczy.

– Nigdy w życiu nie widziałem bardziej żarłocznej dziewczyny – powiedział Karlsson. Wzniósł się w górę i spikował nad nią. W przelocie złapał klopsik, pochłonął go w mgnieniu oka i pośpiesznie wzbił się ku sufitowi. A wtedy w pannę Cap wstąpiło życie. Z jej piersi wyrwał się krótki krzyk, złapała trzepaczkę do dywanów i puściła się w pogoń za Karlssonem.

– Ty łobuzie, to niemożliwe, żebym nie potrafiła cię wypędzić!

Rozradowany Karlsson krążył wokół lampy na suficie.

– Hoj, hoj, będziemy się znów mocować! – zawołał. – Tak wesoło nie bawiłem się od czasu, kiedy byłem dzieckiem i kochany tatuś polował na mnie. Z packą na muchy wokół jeziora Melar! Hoj, wtedy to nam było wesoło!

Wybiegli z Karlssonem do holu i tak się zaczęło szalone polowanie po całym mieszkaniu. Na przodzie leciał Karlsson, chichocząc i pokrzykując z radości, za nim pędziła panna Cap z trzepaczką do dywanów, potem Braciszek, a na końcu, dziko ujadając, biegł Bimbo.

– Hoj, hoj! – krzyczał Karlsson.

Panna Cap deptała mu po piętach, ale jak tylko znalazła się niebezpiecznie blisko, Karlsson przyśpieszał i wzbijał się pod sufit. I mimo iż panna Cap wywijała trzepaczką z całych sił, udało się jej musnąć co najwyżej podeszwy Karlssona.

– No, no – powiedział Karlsson. – Nie łaskocz mnie w podeszwy, bo to nieprzyjemne, i wtedy się nie bawię!

Panna Cap dyszała i biegła, a jej duże, szerokie stopy plaskały o podłogę. Biedaczka, nie zdążyła nałożyć ani butów, ani nawet pończoch z powodu tego straszenia i polowania, które trwało przez cały wieczór. Zaczynała odczuwać zmęczenie, ale nie zamierzała się poddać.

— Poczekaj no tylko! — krzyczała i biegła za Karlssonem. Od czasu do czasu podskakiwała, żeby dobrać się do niego trzepaczką, ale Karlsson śmiał się na całe gardło i odlatywał. Braciszek też się śmiał, nie był w stanie się powstrzymać. Chichotał tak, że brzuch go rozbolał, a gdy polowanie po raz trzeci przetaczało się przez jego pokój, rzucił się na łóżko, żeby chwilę odpocząć. Leżał zupełnie wyczerpany, ale i tak nie mógł powstrzymać chichotu, gdy zobaczył pannę Cap polującą na Karlssona po ścianach dookoła.

— Dostaniesz za to hoj, hoj! — sapała panna Cap. Dziko wymachiwała trzepaczką i w pewnym momencie udało jej się zapędzić Karlssona w róg obok łóżka Braciszka.

— Teraz! — krzyknęła panna Cap. — Teraz cię mam! A potem zawyła tak, że Braciszka ogłuszyło. Wtedy przestał się śmiać.

„Oj — pomyślał. — Teraz Karlsson wpadł!" Ale to nie Karlsson wpadł, tylko panna Cap. Wielki palec u nogi wsadziła w pułapkę na myszy.

— Ooochchch! — krzyknęła panna Cap. — Ooochchch! Wyciągnęła stopę i oniemiała patrzyła na coś dziwnego, co wisiało uczepione na dużym palcu jej nogi.

— Oj, oj, oj! — zawołał Braciszek. — Proszę zaczekać, już zdejmuję tę... o, przepraszam, to niechcący!

— Ooochchch! — powtórzyła panna Cap, gdy Braciszek uwolnił ją od pułapki, i wreszcie odzyskała mowę. — Dlaczego trzymasz pod łóżkiem pułapkę na myszy?

Braciszkowi było naprawdę żal panny Cap i wyjąkał zrozpaczony:

— Żeby... żeby... chcieliśmy złapać w nią mysz-niespodziankę.

— Choć nie tak dużą — powiedział Karlsson. — Tylko małą i śliczną, z długim ogonkiem.

Panna Cap popatrzyła na Karlssona i jęknęła:

— Ty... ty... wynoś się stąd!

I znów zaczęła go gonić z trzepaczką.

— Hoj, hoj! — krzyczał Karlsson. Wyleciał do holu, i dalej szalało polowanie, do pokoju dziennego i z pokoju dziennego, do kuchni i z kuchni, do sypialni...

— Hoj, hoj! — krzyczał Karlsson.

— Dostaniesz za te hoj, hoj! — wysapała panna Cap i wykonała superskok, żeby walnąć go trzepaczką. Ale zapomniała o meblach, które sama poustawiała pod drzwiami sypialni, więc gdy skoczyła wysoko, przeleciała ponad małym regałem i z hukiem runęła na podłogę.

— Hoj, teraz znów nastąpi trzęsienie ziemi w północnej Norlandii — powiedział Karlsson.

Przestraszony Braciszek szybko podbiegł do panny Cap.

— Och, co się stało?! — zawołał. — O, jaka pani biedna!

— Bądź tak miły i pomóż mi położyć się na łóżku — odezwała się panna Cap.

I Braciszek chciał jej pomóc, a w każdym razie próbował. Ale panna Cap była tak duża i ciężka, a Braciszek taki mały. Nie miał tyle siły. Wtedy sfrunął Karlsson.

— O, nie! Nawet nie próbuj! — zawołał do Braciszka. — Ja też chcę taszczyć. Bo to ja jestem najmilszy na świecie, a nie ty!

Ciągnęli z całych sił, Karlsson i Braciszek, i w końcu rzeczywiście udało im się wtoczyć pannę Cap na łóżko.

— Jaka pani biedna — powiedział Braciszek. — Jak się pani czuje? Czy coś panią boli?

Panna Cap przez chwilę leżała cicho i jak gdyby wczuwała się w siebie.

— Jakbym nie miała nogi — odezwała się w końcu. — Ale boleć to w zasadzie nic mnie nie boli... tylko, kiedy się śmieję!

I zaczęła się śmiać, tak że aż łóżko dygotało.

Braciszek patrzył na nią z przerażeniem. Co jej się stało?

— Mówcie, co chcecie — powiedziała panna Cap. — Kilka porządnych sprintów to dziś wieczór wykonałam. O święty Mojżeszu, jak to może człowieka rozruszać!

Energicznie pokiwała głową.

— Poczekajcie tylko! Frida i ja chodzimy na gimnastykę gospodyń domowych. I poczekajcie tylko do następnego razu, wtedy Frida zobaczy taką jedną, która potrafi biegać!

— Hoj! — zawołał Karlsson. — Weź ze sobą trzepaczkę, to będziesz mogła polować na Fridę po całej sali gimnastycznej i ją też rozruszać.

Panna Cap świdrowała go wzrokiem.

— Ty masz być cicho, kiedy ze mną mówisz! Milcz i przynieś mi kilka klopsików!

Braciszek roześmiał się zachwycony.

— Tak, bo od biegów dostaje się apetytu — powiedział.

— A zgadnijcie, kto jest najlepszym na świecie przynosicielem klopsików? — zapytał Karlsson i już był w drodze do kuchni.

Wrócił z załadowaną po brzegi tacą. Potem Karlsson i Braciszek, i panna Cap zajadali kolację, siedząc na brzegu łóżka.

— Zobaczyłem, że jest szarlotka z sosem waniliowym, więc wziąłem ją też. I jeszcze odrobinę gotowanej szynki, i ser, i salami, i ogórki marynowane, i kilka sardynek, i troszkę pasztetu z wątróbek, ale gdzieś ty, u licha, schowała tort z kremem?

— Nie ma żadnego tortu z kremem — odpowiedziała panna Cap.

Karlsson wygiął usta w podkówkę.

— Więc uważasz, że można najeść się kilkoma kotlecikami, odrobiną szarlotki i sosu waniliowego, i gotowanej szynki, i sera, i salami, i ogórków konserwowych, i kilkoma nędznymi sardynkami?

Panna Cap utkwiła w nim wzrok.

— Nie — powiedziała z naciskiem. — Jest jeszcze pasztet z wątróbek.

Braciszek nie przypominał sobie, żeby kiedykolwiek tak mu smakowało jedzenie. I było im bardzo przyjemnie, kiedy tak sobie siedzieli, on, Karlsson i panna Cap, i zajadali ze smakiem.

Nagle panna Cap krzyknęła:

— O święty Mojżeszu, przecież Braciszek jest izolowany, a myśmy go tu wpuścili!

Wskazała na Karlssona.

— Nie, myśmy go nie wpuścili. On sam przyszedł — powiedział Braciszek. Ale zaniepokoił się.

— Pomyśl, Karlssonie, jeśli dostaniesz teraz szkarlatyny!

— Um... um... — mruknął Karlsson, bo usta miał pełne szarlotki i dopiero po chwili mógł mówić. — Szkarlatyna... hoj! Tego, kto raz miał groźną gorączkę bułeczkową i przeżył, nic nie weźmie.

— No, tak też się nie udało — powiedziała panna Cap z westchnieniem.

Karlsson wepchnął w siebie ostatniego klopsika, potem oblizał palce i oznajmił:

— Pożywienie w tym domu jest raczej marne, ale poza tym czuję się tu dobrze. Więc może też będę się tutaj izolował.

— O święty Mojżeszu! — krzyknęła panna Cap.

Świdrowała wzrokiem Karlssona i tacę, która była teraz całkiem pusta.

— Tam gdzie ty się pojawisz, nie pozostaje wiele.

Karlsson wstał z łóżka. Pogłaskał się po brzuchu.

— Kiedy zjem, zostawiam stół — powiedział. — Ale zostawiam tylko to, nic więcej.

Potem przekręcił starter, motorek zaczął szumieć i Karlsson ociężale poleciał w kierunku okna.

— Hejsan, hoppsan! — krzyknął. — Teraz musicie sobie poradzić przez chwilę beze mnie, bo się śpieszę!

— Hejsan, hoppsan, Karlssonie! — zawołał Braciszek.

— Naprawdę musisz iść?

— Już? — dodała panna Cap z goryczą.

— Tak, teraz muszę się śpieszyć! — krzyknął Karlsson.

— W przeciwnym razie spóźnię się do domu na kolację. Hoj, hoj!

I zniknął.

Duma panien, co lata i pędzi

Nazajutrz Braciszek spał długo. Obudził go dzwonek telefonu, więc wypadł do holu. Dzwoniła mamusia.

— Dziecko kochane... O, jakie to straszne!

— Co takiego? — spytał zaspany Braciszek.

— Wszystko, co mi napisałeś w liście. Jestem taka niespokojna.

— Dlaczego? — spytał Braciszek.

— Chyba rozumiesz — odparła mamusia. — Biedny malutki... ale jutro wracam do domu.

Braciszka ogarnęła radość i od razu się rozbudził. Nie rozumiał jednak, dlaczego mamusia nazwała go „biednym malutkim".

Zaledwie odłożył słuchawkę, telefon znów zadzwonił. To tatuś dzwonił z Londynu.

— Jak się czujesz? — zapytał. — Czy Bosse i Bettan są grzeczni?

— Myślę, że nie — powiedział Braciszek. — Ale tego przecież nie mogę wiedzieć, bo oni leżą w zakaźnym.

W głosie tatusia słychać było niepokój.

— Zakaźnym? O czym ty mówisz?

A gdy Braciszek wyjaśnił, tatuś powiedział to samo co mamusia:

— Biedny malutki... jutro wracam do domu.

Na tym rozmowa się skończyła. Ale po chwili znów zadzwonił telefon. Tym razem odezwał się Bosse:

– Możesz pozdrowić Capa Domowego i jej starego doktora i powiedzieć, że wprawdzie oni tak mówią, ale to nie jest szkarlatyna. Bettan i ja wracamy jutro do domu.

– To znaczy, że nie macie szkarlatyny? – spytał Braciszek.

– Wyobraź sobie, że nie mamy. Tutejszy lekarz mówi, że wypiliśmy za dużo czekolady i zjedli za dużo bułeczek. Można dostać od tego wysypki, jeśli się jest nadwrażliwym.

– A więc jest to typowy przypadek bułeczkowej gorączki – powiedział Braciszek.

Ale Bosse już się rozłączył.

Gdy Braciszek włożył ubranie, poszedł do kuchni, żeby oznajmić pannie Cap, że koniec izolowania.

Panna Cap zaczęła już szykować obiad. Cała kuchnia pachniała przyprawami.

– Nie mam nic przeciwko temu – powiedziała panna Cap, kiedy Braciszek zawiadomił ją, że cała rodzina wraca do domu. – Chyba dobrze, że opuszczę ten dom, zanim moje nerwy wysiądą.

Zapamiętale mieszała w garnku, który stał na kuchni. Dusiła w nim jakiś tłusty gulasz, który doprawiała, obficie sypiąc sól, pieprz i curry.

– Tak – powiedziała panna Cap. – Trzeba porządnie posolić, popieprzyć i dodać curry, wtedy będzie dobre!

Potem niespokojnie spojrzała na Braciszka.

– Czy ten okropny Karlsson znów dzisiaj przyjdzie? Byłoby cudownie, gdybym w ciągu moich ostatnich tutaj godzin miała choć trochę spokoju.

Zanim Braciszek zdążył odpowiedzieć, za oknem rozległ się radosny śpiew:

Jak miło ty zerkasz, śliczne słoneczko,
do mojej chatynki przez okieneczko...

Przy futrynie okiennej pojawił się Karlsson.

— Hejsan, hoppsan, oto nadchodzi wasze słoneczko, teraz będzie nam wesoło!

Ale wtedy panna Cap wyciągnęła do niego ręce w błagalnym geście.

— Nie, nie... Nie! Wszystko, byleby tylko nie musiało nam być wesoło!

— W porządku, najpierw zjemy — zgodził się Karlsson i dopadł do stołu, gdzie panna Cap nakryła dla siebie i Braciszka. Karlsson opadł na krzesło i chwycił nóż i widelec.

— No, podaj jedzenie!

Przyjaźnie skinął na pannę Cap.

— Ty także możesz usiąść przy stole. Weź sobie talerz i chodź!

Potem pociągnął nosem.

— Co dostaniemy?

— Porządne lanie — odezwała się panna Cap i jeszcze silniej zamieszała gulasz. — To przynajmniej powinieneś dostać, ale jestem dziś strasznie obolała i obawiam się, że nie dam rady biegać.

Wyłożyła gulasz na salaterkę i postawiła go na stole.

— Jedzcie — zachęciła. — I proszę poczekać na deser. Bo doktor powiedział, że kiedy jem, muszę mieć święty spokój.

Karlsson kiwnął głową.

— Dobrze, chyba jest tu gdzieś w jakimś pudełku kilka sucharków, które możesz sobie pochrupać, kiedy zajmiemy się tym... Gryź sobie skórkę od chleba w świętym spokoju!

Pośpiesznie nałożył na swój talerz dużą porcję. Braciszek wziął tylko odrobinkę. Zawsze traktował nieufnie jedzenie, którego nie znał. A takiego gulaszu nigdy przedtem nie widział.

Karlsson zaczął robić ze swojego gulaszu małą wieżę, a dookoła fosę. Kiedy był tym zajęty, Braciszek nabrał gulaszu na koniec widelca i ostrożnie wziął do ust... Oj! Zaczął dyszeć, a w oczach stanęły mu łzy. W ustach paliło go jak ogniem. Ale ponieważ panna Cap, pełna oczekiwania, patrzyła na niego, przełknął w milczeniu.

Wtedy Karlsson spojrzał znad swojej budowli.

— Co ci jest? Dlaczego płaczesz?

— Ja... przyszło mi na myśl coś smutnego — wyjąkał Braciszek.

— Aha — powiedział Karlsson i z apetytem zabrał się do swej wieży. Ale gdy tylko przełknął pierwszy kęs, zawył i jego oczy napełniły się łzami.

— Co tam znowu? — spytała panna Cap.

— To chyba trucizna na lisy... ale sama wiesz najlepiej, czegoś tu nawrzucała — odparł Karlsson. — Szybko, dawaj tu dużą sikawkę strażacką, mam pożar w gardle!

Otarł z oczu łzy.

— Dlaczego płaczesz? — spytał Braciszek.

— Mnie też przyszło na myśl coś smutnego — odparł Karlsson.

— Co takiego? — zainteresował się Braciszek.

— Ten gulasz — powiedział Karlsson.

Ale pannie Cap to się nie spodobało.

— Że też wy się nie wstydzicie, dzieciaki! Na świecie są tysiące dzieci, które oddałyby wszystko za odrobinę takiego gulaszu.

Karlsson wsunął rękę do kieszeni i wyjął notes i pióro.

— Mogę prosić o nazwiska i adresy chociaż dwojga z nich? — spytał.

Ale panna Cap coś wymamrotała i nie chciała podać żadnego adresu.

— Te dzieci, myślę, muszą być małymi połykaczami ognia — stwierdził Karlsson — które nigdy nie robiły nic innego, tylko wsuwały ogień i siarkę.

W tym samym momencie w przedpokoju zadźwięczał dzwonek i panna Cap poszła otworzyć drzwi.

— Chodź, zobaczymy, kto to — powiedział Karlsson. — To może jedno z tego tysiąca połykaczy ognia, które oddałoby wszystko za jej ognistą papkę, więc musimy dopilnować, żeby nie sprzedała za tanio... Tyle tam wrzuciła drogocennej trucizny!

Poszedł za panną Cap, a za nim Braciszek. Gdy otworzyła drzwi, stali w przedpokoju tuż za nią i usłyszeli zza progu głos:

— Moje nazwisko Peck. Jestem ze Szwedzkiej Telewizji.

Braciszek poczuł, że robi mu się zimno. Zerknął ostrożnie zza spódnicy panny Cap i zobaczył na progu pana, wyraźnie jednego z tych przystojnych, niesłychanie mądrych, w miarę tęgich mężczyzn w swych najlepszych latach. O nich właśnie myślała panna Cap, mówiąc, że w telewizji jest takich wielu.

— Czy może zastałem pannę Cap? — spytał pan Peck.

— To ja — odparła panna Cap. — Ale opłaciłam zarówno radiowy, jak i telewizyjny abonament, więc nie ma o czym mówić!

Pan Peck uśmiechnął się przyjaźnie.

— Nie przyszedłem w sprawie abonamentu. Chodzi o duchy, o których nam pani napisała... chcielibyśmy zrobić o tym program.

Twarz panny Cap oblała się szkarłatem. Nie odezwała się słowem.

— Co się stało? Źle się pani czuje? — spytał pan Peck.

— Tak — odparła panna Cap. — Źle się czuję. To najgorsza chwila w moim życiu.

Braciszek stał tuż za nią i czuł się prawie tak samo. Święty Mojżeszu! To koniec! W każdej chwili ten jakiś Peck może zobaczyć Karlssona i gdy mamusia i tatuś jutro wrócą, dom będzie pełen kabli, kamer telewizyjnych i w miarę tęgich mężczyzn, i nie będzie już spokoju! Święty Mojżeszu, jak by tu się pozbyć Karlssona?!

Jego wzrok padł na stary drewniany kufer stojący w przedpokoju, ten, w którym Bettan trzymała wszystkie swoje teatralne rupiecie. Ona i jej koleżanki i koledzy z klasy założyli jakiś niemądry klub i czasami spotykali się u Bettan i przebierali się, i chodzili w koło, i udawali, że są zupełnie kimś innym, niż byli w rzeczywistości — nazywali to zabawą w teatr. Zdaniem Braciszka, było to dość głupie. Ale, och, jak to dobrze, że teatralny kufer właśnie teraz tam stał. Braciszek otworzył wieko i szepnął nerwowo do Karlssona:

— Pośpiesz się... schowaj się tu w kufrze!

I jeśli nawet Karlsson nie rozumiał, dlaczego ma się chować, to nie był tym, który by odmówił figielkowania, jeśli tylko potrzeba. Mrugnął chytrze do Braciszka i jednym susem wskoczył do kufra. Braciszek szybko zamknął wieko. Potem spojrzał bojaźliwie na tych dwoje przy drzwiach... Zauważyli coś?

Nie. Pan Peck i panna Cap właśnie wyjaśniali, dlaczego panna Cap źle się poczuła.

— To n i e b y ł y żadne duchy — powiedziała panna Cap bliska płaczu. — To były tylko wstrętne chłopięce żarty.

— A więc nie było żadnych duchów? — spytał pan Peck. Panna Cap rozpłakała się głośno.

— Nie, żadnych... i nigdy nie będę w telewizji... tylko Frida!

Pan Peck pocieszająco poklepał ją po ramieniu.

– Niech pani nie bierze sobie tego tak do serca, miła panno Cap. Może nadarzy się inna okazja.

– Nie, nie nadarzy się – odpowiedziała panna Cap. Opadła na kufer teatralny, ukryła twarz w dłoniach i zaniosła się płaczem. Braciszkowi zrobiło się jej strasznie żal, ogarnął go wstyd i wydało mu się, że to on jest wszystkiemu winien.

Wtedy od strony kufra doleciało ciche burczenie.

– Och, przepraszam – odezwała się panna Cap. – To dlatego, że jestem głodna.

– Tak, wtedy może burczeć w brzuchu – powiedział przyjaźnie pan Peck. – Ale obiad jest chyba gotowy, bo czuję smakowite zapachy. Co takiego pani przygotowała?

– Tylko trochę gulaszu – wychlipała panna Cap. – To mój własny wynalazek... Nazwałam go „smaczny gulikap Hildur Cap".

– Pachnie wspaniale – zachwycił się pan Peck. – Człowiek robi się natychmiast głodny.

Panna Cap wstała z kufra.

– No to trzeba spróbować, bo te urwisy i tak tego nie chcą jeść.

Pan Peck troszkę się wzbraniał i powiedział, że to naprawdę nie wypada, ale skończyło się na tym, że on i panna Cap zniknęli w kuchni.

Braciszek uniósł wieko kufra i popatrzył na Karlssona, który leżał i cicho burczał.

– Leż tu, póki on sobie nic pójdzie – rzekł Braciszek. – W przeciwnym razie wylądujesz w pudle telewizora.

– Aha – zgodził się Karlsson. – A nie sądzisz, że w tym pudle jest trochę ciasno?

Braciszek uchylił więc wieko kufra, żeby Karlsson miał czym oddychać, a potem pobiegł do kuchni. Chciał zobaczyć, jak wygląda pan Peck po zjedzeniu smacznego gulikapa panny Cap.

I to nie do wiary, ale pan Peck siedział sobie, zajadał i mówił, że czegoś tak dobrego nigdy w życiu nie jadł. Wcale nie miał łez w oczach. Miała je za to panna Cap. Oczywiście, nie z powodu gulaszu, nie, nadal szlochała, że z jej występu w programie o duchach nic nie wyszło. I mimo że panu Peckowi smakowała jej ognista papka, panna Cap była nadal smutna.

I wówczas stało się coś niewiarygodnego. Nagle pan Peck rzucił:

— Już wiem! Wystąpi pani jutro wieczorem!

Panna Cap spojrzała na niego zapłakana.

— Gdzie wystąpię jutro wieczorem? — spytała z goryczą.

— W telewizji oczywiście — odparł pan Peck. — W cyklu „Mój najlepszy przepis". Pokaże pani wszystkim ludziom w Szwecji, jak pani przyrządza „smaczny gulikap Hildur Cap".

W tym momencie rozległ się głuchy odgłos. Panna Cap zemdlała.

Szybko jednak przyszła do siebie i z trudem podniosła się z podłogi.

— Jutro wieczorem... w telewizji? Mój gulikap... będę mieszać w telewizji dla wszystkich ludzi w Szwecji? Święty Mojżeszu... i pomyśleć, Frida nie ma najmniejszego pojęcia o gotowaniu, a mój gulikap nazywa karmą dla kur!

Braciszek nadstawiał uszu, to było interesujące. Prawie zapomniał o Karlssonie w kufrze. Ale naraz ku swemu przerażeniu usłyszał, że ktoś chodzi w holu. I nie mylił się... był to Karlsson! Drzwi między kuchnią a holem były otwarte i Braciszek zobaczył go z daleka, jeszcze zanim panna Cap i pan Peck zauważyli cokolwiek. Tak... to był Karlsson! A zarazem nie Karlsson! Święty Mojżeszu, jak on wyglądał w starym stroju teatralnym Bettan, w długiej aksamitnej spódnicy, nieporządnie pętającej się dookoła nóg, i w tiulowych welonach, które zwisały zarówno z przodu, jak i z tyłu! Najbardziej przypominał małą, wesołą i zadowoloną babinkę. Braciszek pomachał z rozpaczą, aby dać Karlssonowi znak, że nie wolno mu przyjść. Ale Karlsson jakby tego nie zrozumiał, pomachał tylko w odpowiedzi... i wszedł.

– Oto duma panien wstępuje na salę – rzekł Karlsson.

I stał w otwartych drzwiach, w welonach i w tym wszystkim. Na ten widok pan Peck wytrzeszczył oczy.

– Kto u licha... kto to jest ta mała, zabawna dziewczynka? – spytał.

Ale wtedy w pannę Cap wstąpiło życie.

– Zabawna dziewczynka?! Nie, to jest najwstrętniejszy łobuz, jakiego spotkałam w życiu! Wynoś się stąd, ty niedobry chłopaku!

Karlsson jednak nie słuchał jej.

– Duma panien, co tańczy i jest wesoła – powiedział.

I zaczął taki taniec, jakiego Braciszek w życiu nie widział i przypuszczalnie pan Peck także nie.

Karlsson dreptał dookoła kuchni miękkimi krokami. Od czasu do czasu lekko podskakiwał i trzepotał welonami.

„To wygląda głupio – pomyślał Braciszek. – Ale wszystko, byle tylko nie zaczął latać, och, nie powinien tego robić!"

Karlsson miał tak dużo welonów, że nie było widać jego śmigła. Braciszek ogromnie się z tego ucieszył. Ale gdyby tak nagle Karlsson wzbił się w powietrze, pan Peck z hukiem spadłby z krzesła, a potem, jak tylko by się ocknął, pognałby po swoje telewizyjne kamery!

Pan Peck patrzył na ten dziwaczny taniec i śmiał się. Śmiał się coraz bardziej i bardziej. Wtedy Karlsson też zachichotał i mrugnął do pana Pecka, cały czas drepcząc obok i powiewając w jego kierunku welonami.

— Bardzo śmieszne dziecko — powiedział pan Peck. — Można by je wziąć do jakiegoś programu dla dzieci.

Nic nie mogło bardziej rozdrażnić panny Cap.

— On ma być w telewizji?! W takim razie na mnie proszę nie liczyć! Ale oczywiście, jeśli chcecie, żeby ktoś wam

wywrócił do góry nogami cały gmach radia i telewizji, to nie znajdziecie nikogo lepszego niż ten tutaj!

Braciszek kiwnął głową.

— Tak, właśnie tak. A gdy wywróci do góry nogami cały gmach radia, to powie, że to zwykła rzecz, więc uważajcie z nim!

Pan Peck nie upierał się.

— Ależ nie... tak tylko pomyślałem! Jest przecież tyle innych dzieci.

Pan Peck się śpieszył. Musiał jeszcze dopilnować jednego nagrania. Już miał wyjść, gdy Braciszek spostrzegł, że Karlsson zaczął szukać pod welonami guzika startowego. Braciszek śmiertelnie się przestraszył. Czyżby w ostatniej chwili miało się stać nieszczęście?!

— Nie, Karlsson... nie, Karlsson! — szeptał nerwowo.

Ale Karlsson nadal usiłował wymacać starter. Przez te wszystkie welony było mu trudno go znaleźć.

Pan Peck stał już w drzwiach... kiedy zaczął szumieć motorek Karlssona.

— Nie wiedziałem, że samoloty na Arlandę* przelatują nad Vasastan — powiedział pan Peck. — Moim zdaniem nie powinno tak być. Do widzenia, panno Cap, do zobaczenia jutro.

I poszedł sobie. A Karlsson wzbił się ku sufitowi. Zachwycony krążył wokół lampy i powiewał welonami w kierunku panny Cap.

— Duma panien, co lata i pędzi, hoj, hoj! — zawołał.

* Arlanda — lotnisko w Sztokholmie.

Przystojny i niesłychanie mądry, i w miarę tęgi...

Całe popołudnie Braciszek był u Karlssona w jego domku na dachu. Wyjaśnił Karlssonowi, dlaczego muszą dać spokój pannie Cap.

— Wiesz, będzie robiła tort z bitą śmietaną na przyjazd mamusi i tatusia, i Bossego, i Bettan.

To było coś, co Karlsson rozumiał.

— Jak będzie robiła tort z bitą śmietaną, to musi mieć spokój, tak! Niebezpiecznie jest tirrytować capy domowe wtedy, gdy robią torty z bitą śmietaną, bo wtedy śmietanka kwaśnieje... i capy domowe też w pewnym stopniu!

W ten sposób ostatnie godziny w rodzinie Svantessonów panna Cap miała raczej spokojne, tak jak sobie życzyła.

Braciszek i Karlsson także mieli spokój i było im przyjemnie przed kominkiem w domku Karlssona. Karlsson zrobił wypad na Hötorget* i kupił jabłka.

— I za wszystkie rzetelnie zapłaciłem pięć öre — powiedział. — Nie chcę przecież, żeby jakaś przekupka przeze mnie straciła, bo jestem najuczciwszy na świecie.

— A przekupka uważała, że wystarcza pięć öre? — spytał Braciszek.

— Nie mogłem jej o to zapytać — odparł Karlsson — bo właśnie w tym czasie piła kawę.

* Hötorget – dzielnica Sztokholmu.

Karlsson nanizał jabłka na stalowy drut i opiekał je nad ogniem.

– Najlepszy na świecie opiekacz jabłek, zgadnij, kto to? – spytał Braciszka.

– Ty, Karlssonie – odpowiedział Braciszek.

I posypywali jabłka cukrem i siedzieli przed kominkiem, a tymczasem zapadał zmierzch. Braciszek uważał, że przyjemnie jest przed kominkiem, bo powietrze zrobiło się chłodniejsze. Czuło się, że nadchodzi jesień.

– Chyba wkrótce przelecę się na wieś, żeby kupić trochę więcej drewna u jakiegoś starego wieśniaka – odezwał się Karlsson. – Choć oni wszyscy są szelmami i mają stale oczy otwarte. Bóg jeden wie, kiedy piją kawę.

Wsunął do ognia kilka dużych szczap z brzozowego drewna.

– Bo chcę mieć tu ciepło i przyjemnie w zimie, inaczej się nie bawię. Tyle wiedzą, ci starzy wieśniacy!

Gdy w kominku ogień wygasł, w małym domku Karlssona zrobiło się ciemno. Wtedy Karlsson zapalił lampę naftową, która zwisała z sufitu nad stołem stolarskim i miłym, ciepłym światłem oblewała pokój i wszystkie rzeczy Karlssona leżące na stole.

Braciszek spytał, czy mogliby pogrzebać trochę w rzeczach Karlssona, i Karlsson zgodził się na to z ochotą.

– Ale musisz zapytać, czy możesz się nimi bawić. Czasami mówię „tak", a czasami „nie"... Najczęściej mówię „nie", bo to moje rzeczy i chcę je mieć, inaczej się nie bawię!

I gdy Braciszek spytał wystarczająco wiele razy, mógł pobawić się zepsutym budzikiem. Rozkręcił go więc i znów

skręcił. Było to bardzo przyjemne, Braciszek nie mógł wymyślić sobie lepszej zabawy.

Potem Karlsson chciał, żeby wzięli się do stolarki.

— To przecież jest najprzyjemniejsza zabawa i można zrobić tyle świetnych rzeczy — powiedział Karlsson. —
Przynajmniej ja mogę.

Zrzucił wszystko ze stołu stolarskiego i wyciągnął deski i kloce drewna, które leżały pod sofą. A potem obaj z Braciszkiem heblowali i przybijali gwoździe, waląc młotkiem tak, że aż śpiewało dookoła. Braciszek zbił brzegi dwóch desek i zrobił parowiec. Wąski klocek wstawił jako komin. To rzeczywiście był świetny statek.

Karlsson powiedział, że zrobi domek dla ptaków i zawiesi na rogu swojego domu, żeby małe ptaszki miały gdzie mieszkać. Ale to nie był domek dla ptaków, tylko coś innego, i nie bardzo można było się zorientować, co to jest.

— Co to takiego? — spytał Braciszek.

Karlsson przechylił głowę i popatrzył na to, co zrobił.

— To jest... jedna rzecz — powiedział. — Jedna świetna mała rzecz. Zgadnij, kto jest najlepszym na świecie wytwarzaczem rzeczy?

— Ty, Karlssonie — odparł Braciszek.

Nastał wieczór. Braciszek musiał wrócić do domu i położyć się spać. Musiał opuścić Karlssona i jego mały pokoik, który był taki miły z mnóstwem rzeczy i stołem stolarskim, i kopcącą lampą naftową, i skrzynią na drewno, i kominkiem, gdzie pozostał jeszcze gorący i świecący żar. Trudno było oderwać się od tego wszystkiego, ale przecież wiedział, że będzie mógł przyjść tu znów. Och, jak się cieszył, że Karlsson ma swój dom właśnie na jego dachu, a nie na jakimś innym.

Karlsson z Braciszkiem wyszli na ganek. Nad nimi rozpościerało się rozgwieżdżone niebo. Braciszek nigdy nie widział takich gwiazd, tak dużych, tak wielu i tak blisko. Nie, nie blisko, oczywiście, były oddalone o tysiące mil,

wiedział o tym, ale mimo to... Och, Karlsson miał nad swoim domkiem dach z gwiazd, które były blisko i jednocześnie daleko!

    — Na co się gapisz? — spytał Karlsson. — Zimno mi... lecisz czy nie?

    — Lecę, dziękuję — odparł Braciszek.

A następny dzień... co za dzień! Pierwsi wrócili Bosse i Bettan, potem tatuś, a na samym końcu wróciła mamusia. Braciszek rzucił się w jej objęcia i ściskał ją. Nigdy więcej nie wolno jej od niego odjechać. Dookoła niej stali wszyscy: tatuś i Bosse, i Bettan, i Braciszek, i panna Cap, i Bimbo.

— Nie jesteś już wyczerpana? — spytał Braciszek. — Jak to mogło przejść tak szybko?

— Przeszło, kiedy dostałam twój list — odpowiedziała mamusia. — Gdy dowiedziałam się, że wszyscy jesteście „chrzy" i izolowani, to poczułam, że ja też będę „chra", i to poważnie, jeśli nie wrócę do domu.

Panna Cap pokręciła głową.

— To chyba nie było szczególnie rozważne. Choć ja mogę przyjść od czasu do czasu i pani pomóc, jeśli będzie trzeba. Ale teraz — ciągnęła panna Cap — teraz muszę natychmiast wyjść, bo dziś wieczorem występuję w telewizji.

Wszyscy osłupieli: mamusia i tatuś, i Bosse, i Bettan.

— Naprawdę?! — spytał tatuś. — No to musimy oglądać! Koniecznie!

Panna Cap wyprostowała się dumnie.

— Tak, mam tę nadzieję. Mam nadzieję, że wszyscy w całej Szwecji to obejrzą.

Potem zaczęła się śpieszyć.

— Bo muszę ułożyć włosy i wykąpać się, i zrobić masaż twarzy, i maseczkę, i manicure, i wypróbować nowe wkładki ortopedyczne. Ponieważ trzeba wyglądać ładnie, jeśli się ma pokazać w telewizji.

Bettan roześmiała się.

— Wkładki ortopedyczne... przecież w telewizji i tak ich nie widać.

Panna Cap spojrzała na nią niechętnie.

— Czy ja to mówiłam? Potrzebuję i tak nowych... a człowiek czuje się pewniej, gdy wie, że jest na wskroś doskonały. Choć zwykli ludzie pewnie tego nie rozumieją. Ale my, z telewizji, to wiemy.

Potem pośpiesznie powiedziała do widzenia i wybiegła.

— I poszedł Cap Domowy — powiedział Bosse, gdy drzwi zamknęły się za nią.

Braciszek kiwnął głową w zamyśleniu.

— Ja ją naprawdę polubiłem — przyznał.

A tort, który zrobiła, był wspaniały, duży i pulchny, przybrany kawałkami ananasa.

— Zjemy go do kawy dziś wieczorem, oglądając pannę Cap w telewizji — powiedziała mamusia.

I tak też było. A gdy miała nastać oczekiwana chwila, Braciszek zadzwonił po Karlssona. Szarpnął sznurek za firanką jeden raz, co oznaczało: „Przyjdź natychmiast!".

I Karlsson przyszedł. Cała rodzina siedziała już przed telewizorem, kawa była przygotowana, a tort stał na stole.

— A to jesteśmy my, Karlsson i ja — oznajmił Braciszek, kiedy wchodzili do dużego pokoju.

— A to jestem ja — powiedział Karlsson i rzucił się na najlepszy fotel. — Aha, wreszcie podano w tym domu trochę tortu z bitą śmietaną. Najwyższy czas! Mogę dostać teraz natychmiast trochę... albo raczej dużo!

— Na małych przyjdzie kolej na końcu — powiedziała mamusia. — Nawiasem mówiąc, to moje miejsce. Wy możecie siedzieć na podłodze przed telewizorem, ty i Braciszek, tam podam wam po kawałku tortu.

Karlsson zwrócił się do Braciszka:

— Słyszałeś? Czy ona stale traktuje cię w ten sposób, biedne dziecko?

Potem uśmiechnął się zadowolony.

— To dobrze, że ona mnie też tak traktuje, bo musi być sprawiedliwie, inaczej się nie bawię!

I siedzieli na podłodze przed telewizorem, Karlsson i Braciszek, i zajadali tort, czekając na pannę Cap.

— Teraz będzie ona — powiedział tatuś.

I naprawdę była! Pan Peck również. Prowadził program.

— Prawdziwy żywy Cap Domowy — powiedział Karlsson. — Hoj, hoj, teraz będzie nam wesoło!

Panna Cap wzdrygnęła się. Wyglądało to tak, jakby usłyszała Karlssona. A może była zdenerwowana, gdy tak stała przed wszystkimi ludźmi w całej Szwecji i miała pokazać, jak się robi „smaczny gulikap Hildur Cap"?

— Proszę słuchać — zaczął pan Peck. — Jak wymyśliła pani ten gulikap?

— Proszę słuchać — powiedziała panna Cap. — Kiedy ma się siostrę, która nie ma pojęcia o ugotowaniu czegokolwiek za pięć öre...

Więcej nie zdążyła powiedzieć. Karlsson wyciągnął małą pulchną rękę i wyłączył telewizor.

— Cap Domowy przychodzi i odchodzi dokładnie wtedy, kiedy chcę — stwierdził.

Ale wtedy odezwała się mamusia:

— Natychmiast włącz... i nie próbuj tego po raz drugi, bo wylecisz stąd!

Karlsson kuksnął Braciszka w bok i szepnął:

— Nie można już niczego w tym domu zrobić?

— Cicho, będziemy oglądać pannę Cap — powiedział Braciszek.

— Trzeba porządnie posolić, popieprzyć i dodać curry, wtedy będzie smaczne — opowiadała panna Cap.

I soliła, i pieprzyła, i sypała curry, aż się kurzyło. Gdy gulikap był gotowy, spojrzała filuternie w kamerę i spytała:

— Może chcecie troszkę spróbować?

— Dziękuję, ja nie — odparł Karlsson. — Ale jeśli dasz mi nazwiska i adresy, to przyprowadzę ci kilkoro z tych małych połykaczy ognia.

Potem pan Peck podziękował pannie Cap, że zechciała przyjść i pokazać, jak robi swój smaczny gulikap, i wyraźnie czas się skończył, ale wtedy panna Cap spytała:

— Proszę posłuchać, a czy mogę przesłać pozdrowienia mojej siostrze, która jest w domu na Frejgatan?

Pan Peck zawahał się.

— Proszę posłuchać... No, dobrze, tylko szybko.

Panna Cap pokiwała ręką do kamery i powiedziała:

— Hej, hej, Frida, jak się czujesz? Mam nadzieję, że nie spadłaś z krzesła.

— Ja też mam nadzieję — powiedział Karlsson. — Bo wystarczy już tego trzęsienia ziemi w północnej Norlandii.

— Co masz na myśli? — spytał Braciszek. — Przecież nie wiesz, czy Frida jest tak samo duża jak panna Cap.

— A wyobraź sobie, że wiem — odparł Karlsson. — Parę razy byłem na Frejgatan i straszyłem.

Potem Karlsson i Braciszek zjedli jeszcze tortu i oglądali w telewizji pewnego żonglera, który potrafił raz po raz podrzucać w powietrze pięć talerzy jednocześnie i żadnego nie upuścić. Braciszek uważał, że ten żongler był nudny, ale Karlsson siedział z roziskrzonymi oczami, więc Braciszek czuł się szczęśliwy. W tej chwili było tak przyjemnie, i tak wspaniale było mieć wszystkich koło siebie: mamusię i tatusia, i Bossego, i Bettan, i Bimba... i do tego Karlssona.

Kiedy tort się skończył, Karlsson wziął paterę i starannie wylizał. Potem rzucił ją w powietrze, tak jak żongler talerze.

— Słowo daję — powiedział. — Ten facet w pudle nie był taki zły. Ale zgadnij, kto jest najlepszym na świecie podrzucaczem talerzy?

Podrzucił paterę tak, że poleciała prawie do sufitu i Braciszek przestraszył się.

— Nie, Karlssonie... przestań!

Mamusia i pozostali oglądali w telewizji jakąś tancerkę i nie widzieli, co wyprawia Karlsson. I nic nie pomogło, że Braciszek powtarzał „przestań". Karlsson beztrosko podrzucał dalej.

— Nawiasem mówiąc, macie ładną paterę — powiedział Karlsson i cisnął ją pod sufit. — Mieliście, ściślej mówiąc — dodał i schylił się, żeby pozbierać skorupy. — No tak, to zwykła rzecz...

Ale gdy patera się rozbiła, mamusia usłyszała gruchot. Dała Karlssonowi mocnego klapsa i powiedziała:

— To była moja najładniejsza patera, a nie żadna zwykła rzecz.

Braciszkowi nie podobało się, że można tak potraktować najlepszego na świecie podrzucacza talerzy, ale rozumiał, że mamusi było żal patery, i podbiegł ją pocieszyć.

— Wyjmę pieniądze z mojej świnki-skarbonki i kupię ci nową paterę.

Ale wtedy Karlsson z dumą wsadził rękę do kieszeni i wyciągnął pięcioörówkę, którą wręczył mamusi.

— Ja sam płacę za to, co rozbijam. Proszę bardzo! Kup sobie paterę i zatrzymaj pieniądze, które pozostaną.

— Dziękuję, miły Karlssonie — powiedziała mamusia. Karlsson z zadowoleniem skinął głową.

— Albo kup za nie kilka małych tanich wazonów, którymi będziesz mogła rzucać we mnie, jeśli przypadkiem tu przyjdę, a ty przypadkiem będziesz zła.

Braciszek przysunął się bliziutko do mamusi.

— Chyba nie jesteś zła na Karlssona, mamusiu?

Wtedy mamusia pogłaskała obydwu, Karlssona i Braciszka, i powiedziała, że nie jest.

Potem Karlsson pożegnał się:

— Hejsan, hoppsan, muszę iść do domu, inaczej spóźnię się na kolację.

— Co będziesz jadł na kolację? — spytał Braciszek.

— Smaczny gulikap Karlssona z Dachu — odparł Karlsson. — Nie taką truciznę na lisy, jak Capa Domowego, wierz mi. Najlepszy na świecie mieszacz gulikapów, zgadnij kto to?

— Ty, Karlssonie — powiedział Braciszek.

Trochę później Braciszek leżał w łóżku, a Bimbo w koszyku stojącym obok. Wszyscy już powiedzieli mu dobranoc: mamusia i tatuś, i Bosse, i Bettan. Braciszek zaczynał być senny, ale myślał o Karlssonie i był ciekaw, co też Karlsson robi właśnie w tej chwili. Może akurat coś majstruje, jakiś domek dla ptaków albo coś w tym rodzaju.

„Jutro, jak wrócę ze szkoły — pomyślał Braciszek — zadzwonię do Karlssona i spytam, czy mogę pójść do niego na górę i też coś zmajstrować".

Zdaniem Braciszka, to było bardzo dobrze, że Karlsson założył instalację dźwiękową.

„Mogę zadzwonić do niego teraz, jeśli zechcę" — pomyślał i poczuł, że to świetny pomysł.

Wyskoczył z łóżka, boso podbiegł do okna i szarpnął za sznurek. Trzy razy. Był to sygnał, który oznaczał: „Pomyśl, że istnieje na świecie ktoś, kto jest taki przystojny, niesłychanie mądry i odważny, i dobry pod każdym względem, jak ty, Karlssonie!".

Braciszek stał przy oknie, nie dlatego, że czekał na jakąś odpowiedź, nie, tylko tak sobie stał. Ale wtedy przyleciał Karlsson.

— Tak, pomyśl! — powiedział.

Więcej nic nie mówił. A potem odleciał z powrotem do swego małego zielonego domku na dachu.

Spis rozdziałów

Wydawnictwo NASZA KSIĘGARNIA Sp. z o.o.
02-868 Warszawa, ul. Sarabandy 24c
tel.: 022 643 93 89, 022 331 91 49
fax: 022 643 70 28
e-mail: naszaksiegarnia@nk.com.pl

Dział Handlowy
tel.: 022 331 91 55, tel./fax: 022 643 64 42
Sprzedaż wysyłkowa
tel.: 022 641 56 32
e-mail: sklep.wysylkowy@nk.com.pl   www.nk.com.pl

Redaktor **Małgorzata Grudnik-Zwolińska**
Redaktor techniczny, DTP **Agnieszka Dwilińska-Łuc**

ISBN 978-83-10-11295-8

PRINTED IN POLAND

Wydawnictwo „Nasza Księgarnia", Warszawa 2007 r.
Druk: Wojskowa Drukarnia w Łodzi